COLLECTION FONDÉE EN 1984
PAR ALAIN HORIC
ET GASTON MIRON

D1002996

TYPO bénéficie du soutien de la Société de développement des entreprises culturelles du Québec (SODEC) pour son programme d'édition.

Gouvernement du Québec – Programme de crédit d'impôt pour l'édition de livres – Gestion SODEC.

Nous reconnaissons l'aide financière du gouvernement du Canada par l'entremise du Fonds du livre du Canada pour nos activités d'édition.

Nous remercions le Conseil des Arts du Canada de l'aide accordée à notre programme de publication.

UN SIMPLE SOLDAT

MARCEL DUBÉ

Un simple soldat

Théâtre

TYPO

Éditions TYPO
Groupe Ville-Marie Littérature
Une compagnie de Quebecor Media
1010, rue de La Gauchetière Est
Montréal, Québec H2L 2N5
Tél.: 514 523-1182
Téléc.: 514 282-7530
Courriel: vml@groupevml.com

Maquette de la couverture: Anne-Marie Arel
Photo de la couverture: Gilles Pelletier et Élizabeth Le Sieur; © André Le Coz

Catalogage avant publication de Bibliothèque et Archives nationales du Québec
et Bibliothèque et Archives Canada
Dubé, Marcel, 1930-
Un simple soldat: théâtre
(Typo. Théâtre)
Éd. originale: Montréal: Éditions de l'Homme, 1967.
ISBN 978-2-89295-330-5
I. Titre. II. Collection: Typo. Théâtre.
PS8507.U34S5 2011   C842'.54   C2011-941427-9
PS9507.U34S5 2011

DISTRIBUTEURS EXCLUSIFS:

• Pour le Québec, le Canada
et les États-Unis:
LES MESSAGERIES ADP*
2315, rue de la Province
Longueuil, Québec J4G 1G4
Tél.: 450 640-1237
Téléc.: 450 674-6237
*Filiale du Groupe Sogides inc.;
filiale du Groupe Livre Quebecor Media inc.

• Pour l'Europe:
Librairie du Québec / DNM
30, rue Gay-Lussac, 75005 Paris
Tél.: 01 43 54 49 02
Téléc.: 01 43 54 39 15
Courriel: direction@librairieduquebec.fr
Site Internet: www.librairieduquebec.fr

Pour en savoir davantage sur nos publications,
visitez notre site: editionstypo.com
Autres sites à visiter: editionsvlb.com •editionshexagone.com
www.edhomme.com • www.edjour.com • www.edutilis.com

Édition originale: Marcel Dubé, *Un simple soldat*.
Comédie dramatique en quatre actes,
Montréal, Éditions de l'Homme, 1967

Dépôt légal: 3e trimestre 2011
Bibliothèque et Archives nationales du Québec, 2011
Bibliothèque et Archives Canada

Nouvelle édition:

© 2011 Éditions TYPO et Marcel Dubé
Tous droits réservés pour tous pays
ISBN 978-2-89295-330-5

PRÉFACE

J'écris ces mots à l'heure où, avec une minutieuse régularité, des soldats de l'armée canadienne meurent, un à un, en territoire afghan dans une opération militaire qui ne se veut pas une guerre et à laquelle politiquement on cherche à donner un sens qui échappe pour plusieurs à l'entendement.

Je pense donc à ces soldats qu'on envoie vivre dans un monde de terreur meurtrière avec comme but de rechercher des terroristes à abattre. Mal dissimulés dans un paysage de montagnes arides et hostiles, ils font face à des ennemis invisibles qui les traquent et les attirent vers leurs caches. C'est alors qu'un à un les justiciers de l'armée canadienne tombent dans des pièges mystérieusement tendus et sautent, un jour d'expédition, sur une bombe artisanale. Et immédiatement la nouvelle est transmise par tout le Canada. Ils sont numérotés et classés. Le centième... le cent vingt-septième... Un à un, jusqu'au suivant, les cadavres sont placés dans des cercueils modèle standard et sont rapatriés à la base de Trenton en Ontario. On les accueille pour une cérémonie d'adieu sous des drapeaux à la feuille d'érable en reconnaissance de leur bravoure. Et leurs ayants droit les plus proches, leur femme ou leurs parents, recevront ensuite une médaille posthume pour service rendu à la patrie.

Là-bas, d'autres compagnons qui ne sont pas assignés à des embuscades jouent un rôle moins dangereux. Ils construisent des routes et des écoles ou enseignent à de jeunes Afghans à devenir de bons soldats pour qu'un jour ils sachent se défendre eux-mêmes. Après tout, on ne sera pas toujours les sacrifiés.

Ce qui fait que, l'un dans l'autre, le valeureux gouvernement du Canada en arrive quasiment à justifier sa décision de faire participer son armée à une expédition de chasse, en rappelant à l'ensemble des citoyens que les terroristes d'Al Qaida ne sont pas qu'une menace pour les États-Unis mais pour à peu près tous les pays où règne la démocratie.

J'écris ces mots en me souvenant de la Deuxième Guerre mondiale qui a duré six ans et fait cinquante millions de morts, civils et militaires. J'étais jeune à l'époque mais, tout autour de nous, des activités militaires et gouvernementales ainsi que les journaux et la radio nous en avaient tous rendus conscients, même si le pays n'en était pas directement atteint. Survol de la ville par des bombardiers de l'armée de l'air, simulations de combats de fantassins dans des parcs, parades de régiments dans les rues, rationnement de certaines denrées et des pneus, grands spectacles bénéfices et ventes d'obligations du gouvernement pour soutenir les coûts de la guerre et éviter le chaos absolu.

Une fois l'Italie et l'Allemagne vaincues, l'armistice signé à Reims le 7 mai 1945 et le Japon en partie anéanti quelques mois plus tard sur le Pacifique, le monde pouvait enfin respirer et connaître un siècle de paix.

Immense illusion. À peine cinq ans plus tard, c'était la guerre froide qui s'installait dans les deux hémisphères et de nouveaux conflits éclataient qui allaient entraîner des milliers de morts. En Indochine et en Corée presque simultanément, et encore une fois, d'autres soldats de l'armée canadienne allaient s'impliquer à la demande de l'ONU et quelques centaines allaient y mourir parmi le million d'autres victimes.

Au cours de cette période de ma vie, j'avais choisi le métier d'écrivain. Je n'avais que 22 ans et j'étais à peu près assuré de gagner ma vie en livrant de petites dramatiques à la radio d'abord, puis, simultanément, au théâtre et à la télévision naissante. Il fallait pour y parvenir que je travaille rapidement que je fournisse un bon nombre de textes et qu'ils soient tous originaux. Souvent je me sentais essoufflé, limité dans mes ressources. Mais avec les années et l'expérience acquise, je suis arrivé à m'en sortir. Il y avait des thèmes humains et des sujets à ma portée, mais il y en avait d'autres, dont celui de la guerre, que je me sentais incapable de même aborder.

J'avais lu Les croix de bois *de Roland Dorgelès,* À l'Ouest, rien de nouveau *et* Arc de triomphe *d'Erich Maria Remarque et plutôt que de m'inspirer à moi-même une œuvre qui ait un arrière-plan guerrier, ces romans n'avaient fait qu'accentuer mon impuissance à exprimer avec authenticité le moindre aspect d'un conflit qui ait des dimensions humaines et tragiques.*

D'autant plus que lors de mon séjour en France et en Europe, de la fin novembre 1953 à la mi-mars 1954, j'avais froidement pris conscience que des jeunes gens de mon âge, français pour la plupart et, en certaines occasions, allemands ou anglais, étaient d'une race qui laisse à ses enfants des stigmates ou même des gènes qui les rendent aptes à exprimer les deuils profonds et successifs que les guerres leur ont transmis de génération en génération. Comme si on savait de naissance ce que c'est que d'être soldat et d'avoir à mourir un jour pour sa patrie. (Combien de millions d'orphelins et d'orphelines y avait-il en Europe alors?)

*Puis, en 1957, l'idée m'est venue d'écrire l'histoire d'*Un simple soldat, *celle d'un antihéros qui, après avoir raté de peu son départ pour la Deuxième Grande Guerre, saisit celle de Corée pour s'accomplir enfin.*

Mais ce n'est pas comme soldat qu'on le voit se battre mais comme un civil sans pitié face à une société et une famille qu'il rejette. Dans ce combat qu'il mène avec rudesse et fureur, le personnage que j'ai peint au couteau atteint progressivement une dimension tragique et ne laisse aucun doute sur son destin qui est de mourir dans l'anonymat quelque part en Corée, dans une guerre qui prolonge celle qu'il n'a pu faire. Entre les deux, il a quand même réussi à dire tout le mal de vivre qu'il porte en lui.

Il ne laisse personne derrière lui pour le regretter sinon sa jeune demi-sœur Fleurette, sans doute le seul être qu'il a pu aimer et qui, par lui, survivra à la médiocrité de sa naissance.

MARCEL DUBÉ
Ce dimanche 27 mai 2011, à Montréal.

Cette pièce, d'abord conçue pour la télévision et présentée au réseau français de Radio-Canada, au mois de décembre 1957, a été adaptée par la suite pour la scène et créée le 31 mai 1958 au Théâtre de la Comédie-Canadienne, dans une mise en scène de Jean-Paul Fugère et des décors de Jacques Pelletier. La même année, elle était publiée dans sa version scénique, à l'Institut littéraire du Québec. Neuf ans plus tard, après avoir été remaniée et corrigée, elle était reprise une autre fois à la Comédie-Canadienne, soit le 21 avril 1967, dans une mise en scène de Jacques Létourneau, des décors de Jean-Claude Rinfret, avec accompagnement de musique originale de Claude Léveillée, et comprenait la distribution suivante :

Mesdames

Bertha	Juliette Huot
Fleurette	Élizabeth Le Sieur
Marguerite	Monique Mercure
La Mère Brochu	Nana DeVarennes
Dolorès	Diane Pinard
Une serveuse de restaurant	Louise Turcot
Une figurante	Ginette Phaneuf

Messieurs

Joseph	Gilles Pelletier
Édouard	Ovila Légaré
Armand	Pierre Boucher
Émile	Robert Rivard
Tit-Mine	Louis Aubert
Ronald	Yvon Thiboutôt
Tournevis	Claude Saint-Denis
Pitou	Guy Lécuyer
Un figurant	Pascal Lennad

DÉCOR

Pour éviter la lourde machinerie du théâtre réaliste, il faut imaginer un complexe scénique facilement démontable et transformable comme l'est un jeu de meccano. Comme les personnages évoluent en plusieurs endroits, en des lieux divers, et qu'ils ont à se déplacer parfois assez rapidement, il nous faut avant tout nous servir de l'espace, des éclairages et de rideaux transparents comme premiers moteurs de l'illusion dramatique. De plus, chaque élément structuré, plates-formes ou panneaux serviront à plusieurs fins, étant amovibles ou pivotants. Ainsi en sera-t-il des meubles et des objets. Ainsi en sera-t-il de tout. Mais comme description générale, voici en quoi consiste l'essentiel du décor. Principalement, il nous situe chez les Latour dans un quartier prolétarien de l'est de Montréal. On y voit une rue qui passe devant la maison, une passerelle suspendue qui relie deux hangars ou deux toits d'édifices et qui peut aussi devenir une autre rue dans le haut quartier, et, tout à fait en arrière-plan : la ville qui change souvent d'aspect selon que les années passent. Une ruelle descend en pente assez raide du haut du quartier et débouche dans la rue inférieure devant la maison des Latour. Mais chacun de ces lieux peut en devenir un autre aussi souvent que l'action le demande. Il ne répugne pas au théâtre de devenir cinéma si on utilise bien l'espace scénique et si on fait d'abord appel à l'imagination pour réussir nos voyages dans le temps. C'est pourquoi ma pièce est construite un peu comme un scénario de cinéma. L'invention des images, la cristallisation du réel provoquent la réceptivité. Ainsi, s'il arrive que nous décrivions certaines choses avec précision tout au cours de la pièce, c'est simplement dans le but de suggérer ce que le spectateur doit penser voir. Certaines scènes, certaines répliques d'ailleurs pourraient atteindre ce degré d'intimité propre aux gros plans cinématographiques.

PREMIER ACTE

SCÈNE I

*Dans le noir total, on entend une voix d'homme
qui chante.*

Nous étions tous des camarades
Que la guerre avait réunis
Fusil au poing pour les parades
Nos cœurs étaient couleur kaki.

Je me souviens des camarades
Qui chantaient pour ne pas pleurer
La bièr' l'amour n'étaient pas fades
Les jours où nous avions congé.

> *Puis le rideau s'ouvre. Il n'y a d'abord que le
> cadran d'un vieil appareil de radio qui soit
> allumé dans tout le décor.*

VOIX DE L'ANNONCEUR, *un éclairage de plein
jour s'établit très lentement dans la rue inférieure et
chez les Latour où on ne trouve que Bertha qui
écoute la radio.* – C'est donc aujourd'hui, aujourd'hui
sept mai 1945, date qui restera à jamais inoubliable,
qu'aux premières heures de la nuit dans une petite

école de Reims en France, quartier du général Eisenhower, fut signée la capitulation sans condition de l'Allemagne et qu'a pris fin la guerre la plus désastreuse de toute l'histoire du monde qui a duré cinq ans, huit mois et six jours et qui a fait dans les camps alliés et ennemis environ quarante millions de victimes. Avouant que toute résistance était devenue inutile, que les grandes ambitions du Troisième Reich n'étaient plus que cendres et qu'illusions, l'amiral allemand Karl Dönitz a ordonné à toutes ses armées de se rendre sans conditions. C'est ce matin même, à neuf heures trente-cinq minutes que la radio canadienne pouvait enfin transmettre cette nouvelle reçue de la Presse Associée. Mais ce sont les Allemands qui les premiers ont annoncé la fin des hostilités, avant même que...

> *Bertha, que tout cela semble laisser indifférente ou ennuyer, se lève pour choisir un autre poste où l'on peut entendre le Soldat Lebrun qui chante: «Je suis loin de toi, mignonne.» Bertha s'écrase de nouveau dans son fauteuil pour écouter à son aise cette chanson qui semble la ravir béatement. Dehors, dans la rue, des enfants sautillent sur le trottoir en jouant à la marelle et en criant en les scandant bien, sans trop comprendre cependant, les mots miraculeux: «la guerre est finie, la guerre est finie...» De loin, en se rapprochant on entend la voix de Fleurette qui sème sa joie dans le quartier, avant d'entrer en scène.*

VOIX DE FLEURETTE. – Joseph ira pas au front! La guerre est finie! Joseph ira pas au front!...

Puis elle parait dans la rue, très jeune, très enjouée, toute essoufflée pour se précipiter dans la maison pendant que les enfants sortent de scène en courant.

FLEURETTE, *répétant.* – La guerre est finie! Joseph ira pas au front!... *(S'élance vers sa mère qui demeure amorphe.)* T'as compris, m'man? La guerre est finie! Joseph ira pas au front! La guerre est finie pour toujours!

BERTHA. – Excite-toi donc pas comme ça! Je le sais que la guerre est finie. C'est ce qu'ils nous répètent depuis une heure à la radio.

FLEURETTE. – Et puis, t'es pas contente? T'es pas remplie de joie?

BERTHA. – C'est un peu trop loin pour moi, l'Europe...

FLEURETTE. – Mais Joseph?... Il va revenir, m'man! Il va revenir avant même d'être parti! Ça va être la paix dans le monde!... Y aura plus de guerre! Y aura plus jamais de guerre!

BERTHA. – Tu peux trouver ça beau mais si tu te servais de ta «jugeotte» tu penserais aussi aux désavantages que ça représente.

FLEURETTE. – Mais quels désavantages? J'en vois pas m'man.

BERTHA. – Ton frère Joseph que t'aimes tant... C'est quand il est parti pour Halifax qu'on a commencé à respirer à l'aise dans la maison.

FLEURETTE. – C'est pas un si mauvais garçon que ça, m'man.

BERTHA. – Tu verras, tu verras... Mais le pire c'est que vous allez perdre vos emplois, Marguerite et toi.

FLEURETTE. – Je m'en trouverai un autre ailleurs.

Pendant qu'elle converse avec sa mère, Fleurette se passe une blouse plus fraîche et se recoiffe du mieux qu'elle peut.

BERTHA. – Facile à dire… Marguerite gagnait un bon salaire à l'avionnerie…

FLEURETTE. – Elle aussi va se débrouiller. Sois pas inquiète pour elle.

Elle fait subitement volte-face et se dirige rapidement vers la porte de la sortie.

BERTHA. – Où est-ce que tu vas?

FLEURETTE. – Dehors! Ils nous ont donné congé! C'est plein de monde dans les rues. Tu devrais voir comme c'est gai!… Tu devrais voir, m'man!

BERTHA. – Quand je veux m'amuser je me paye une journée au Parc Belmont… Fleurette! *(Elle est déjà sortie et ne peut l'entendre.)* Laisse-toi pas tripoter par n'importe qui!

Mais Fleurette est loin. Ennuyée, Bertha éteint la radio et se lève. Dans la rue passe madame Brochu qui revient de la ville. Des enfants la suivent et se moquent d'elle. Dans une main elle a un «shopping bag» et dans l'autre son parapluie.

LES ENFANTS. – Mémère Trente-Sous!… Mémère Trente-Sous!…

BROCHU, *qui se retourne menaçante et lève son parapluie en l'air.* – Tas de p'tits vauriens! Je vais vous en faire voir, moi, des trente-sous!…

Les enfants *ricanent et continuent.* – Mémère Trente-Sous! Mémère Trente-Sous! Vous promenez pas vos chats aujourd'hui?

Elle fait un pas dans leur direction.

Brochu. – P'tits polissons! P'tits malélevés!... Vous devriez être à l'école!...

Les enfants ricanent de plus belle et s'enfuient. Pendant ce temps Bertha est allée se poster à la fenêtre, accoudée sur un oreiller.

Bertha. – C'est parce que vous vous en occupez que les enfants vous agacent comme ça, madame Brochu.

Brochu. – Je vais me plaindre à leurs parents. Je vais les faire arrêter par la police, c'est l'école de Réforme qu'il leur faut.

Bertha. – Pauvre vous! Si j'étais à votre place... *(Elle n'achève pas. Voyant le sac qu'elle porte.)* Mais vous êtes allée en ville?

Brochu. – Malheureusement, oui. Je le regrette assez! C'est plein de fous dans les rues. On a voulu me voler mon parapluie.

Bertha. – Si c'est rien que ça, c'est pas grave.

Brochu. – Et puis vous?... *(Se rapproche, l'œil malicieux.)* Votre Joseph?

Bertha. – C'est pas mon Joseph! C'est le Joseph à son père...

Brochu. – Il va revenir!

Bertha. – Ça m'en fait un pli ça, mère Brochu!

Brochu. – C'est pourtant pas ce qui vous manque, Bertha!

BERTHA. – Pardon?

BROCHU. – Je dis que c'est tant mieux pour lui. Il ira pas perdre son âme en France.

BERTHA. – Comme s'il avait besoin d'aller si loin pour ça.

BROCHU. – Excusez-moi mais faut que j'aille nourrir mes chats.

BERTHA. – Je vous retiens pas.

BROCHU. – J'espère qu'on aura le plaisir...

Elle sort.

BERTHA *hausse les épaules.* – Vieille folle!...

Elle s'accoude immobile à la fenêtre pendant qu'on entend en arrière-plan la voix du marchand de fruits.

MARCHAND. – On a des tomates, des radis, des concombres à vendre.

On a des oranges, des melons, des bananes à vendre.

Belles tomates? Belles oranges, madame?

C'est pas cher!... Six pour vingt cennes, les oranges... Non?... Merci, madame.

On a des tomates, des radis, des concombres à vendre.

On a des oranges, des melons, des bananes à vendre...

Et déjà sa voix se perd lentement en même temps que tout l'éclairage diminue graduellement et qu'on entend la voix d'homme du début qui chante en arrière-plan.

Rien ne sépar' des camarades
À qui personne n'a dit merci
Et nos fusils et nos grenades
Ne nous auront jamais servi.
Tu resteras mon camarade
Et le jour où je m'en irai
Je t'écrirai une ballade
Qui chantera notre amitié.

SCÈNE II

*La gare Windsor, un mois plus tard, en juin.
Il est six heures trente du soir et Fleurette est
seule sous la grande horloge, attendant.
Derrière elle : la statue du soldat mourant
que soutient un ange. Fleurette fait les cent
pas, impatiente comme une petite fille déçue.*

Voix du speaker. – Dernier appel pour les voyageurs en partance pour Sainte-Anne de Bellevue,
Vaudreuil, Van Meek Hill et Ottawa. *All aboard*,
tout le monde à bord !...

*Deux soldats passent, sac au dos. L'un des
deux se retourne en direction de Fleurette et
manifeste son admiration en sifflant. Les deux
éclatent de rire, Fleurette hausse les épaules et
les soldats s'éloignent. On entend leurs pas
sonores sur le plancher de la gare comme on
entend ceux d'autres voyageurs. Tout se tait et
Fleurette se sent éperdument seule. Pour
tromper son attente, elle se répète par bribes
la lettre que Joseph a écrite à la famille.*

VOIX DE JOSEPH. – Si mon train est pas en retard, je serai à la gare Windsor vers les six heures. Je me rendrai probablement tout de suite à la maison mais attendez-moi pas. J'ai l'habitude d'arriver comme un voleur. Attendez-moi pas. C'est pas nécessaire… Vers les six heures… Vers les six heures…

La voix se perd. On entend une locomotive à vapeur qui s'éloigne. Une prostituée se promène avec nonchalance dans la gare. Fleurette lève les yeux vers la grande horloge une dernière fois et regarde s'éloigner la prostituée. Elle baisse les yeux. On entend, en arrière-plan, comme surgissant des années d'enfance de Fleurette une très douce musique de piano. Et c'est le noir total.

SCÈNE III

La musique se perd pour faire place à la voix de Bertha qui appelle sa fille avec mauvaise humeur: «Fleurette! Fleurette!» Et nous nous retrouvons chez les Latour, le même soir quelques minutes plus tard. Bertha et Marguerite finissent de desservir la table. Armand est debout et s'étire devant la fenêtre. Resté à la table, Édouard est songeur. Il bourre machinalement sa pipe. Il n'est pas très heureux de voir qu'on a desservi la table si rapidement.

BERTHA, *appelant encore.* – Fleurette! Fleurette! *(Sans attendre de réponse.)* Elle s'était mis dans la tête d'aller à la gare, personne pouvait l'en empêcher. Ça promet! Qu'est-ce qu'elle va devenir plus tard? *(Fleurette est entrée dans la rue et Bertha l'appelle tout aussi machinalement, comme si elle ne faisait que ça depuis des années.)* Fleurette! Fleurette!

FLEURETTE, *qui entre dans la maison.* – Oui, m'man?

BERTHA. – Viens laver la vaisselle.

FLEURETTE. – C'était écrit à six heures dans la lettre... Son train est arrivé, j'ai vu tout le monde descendre, tout le monde s'en aller, et puis pas de Joseph.

BERTHA. – T'aurais mieux fait de rester à la table avec nous autres.

FLEURETTE. – J'ai pas faim. Il passe sept heures maintenant, il viendra plus.

BERTHA, *qui hausse les épaules.* – Si j'avais su, j'aurais pas fait de spécial et puis on aurait mangé dans la cuisine comme de coutume.

ARMAND, *sûr de lui.* – Il est entré dans une taverne en descendant du train.

MARGUERITE, *qui acquiesce d'un petit rire en coin.* – Avec lui faut toujours s'attendre à quelque chose du genre.

FLEURETTE. – C'est pas vrai, je l'aurais vu! Et puis c'est peut-être pas le bon train qui est arrivé à six heures. Les trains de soldats ça arrive pas nécessairement à l'heure qu'on les attend. *(À Marguerite)* Pas vrai?

MARGUERITE, *irritée.* – Je sais pas moi! Je vois pas pourquoi tu me demandes ça.

FLEURETTE, *naïvement.* – Pas besoin de te fâcher. T'en as déjà attendu des trains de soldats.

MARGUERITE. – Dis-lui de s'arrêter, m'man!

BERTHA, *à Fleurette.* – Cesse donc d'agacer ta sœur.

FLEURETTE, *qui persiste dans son idée.* – Je dis rien de mal. Tout le monde sait que Marguerite a été en amour avec des soldats! Elle les amenait à la maison.

BERTHA. – Ceux qu'elle a connus c'étaient des bons garçons.

FLEURETTE. – Je dis pas le contraire non plus.

MARGUERITE. – Et puis le dernier, c'était plus qu'un simple soldat, c'était un sergent.

FLEURETTE. – C'est pour ça que je me dis... (*Cherchant à s'expliquer autrement.*) Pendant toute la guerre, y avait plein de filles dans les gares pour attendre les soldats.

MARGUERITE. – Continue pas, sinon je sais pas ce que je te fais!

ARMAND. – Si vous cessiez de parler de lui une minute, on pourrait digérer en paix.

FLEURETTE. – C'est plus permis de parler de Joseph, p'pa?

> *Édouard la regarde et ne répond pas. On sent cependant qu'il est son seul allié.*

MARGUERITE. – Armand et moi, on s'est efforcé d'arriver à l'heure... Tit-Mine voulait me voir pour une affaire importante, je l'ai remis à plus tard. Si j'avais su, je serais allée rencontrer Tit-Mine.

FLEURETTE. – Tit-Mine, tu peux le voir quand tu veux, tandis que Joseph...

BERTHA. – Tandis que Joseph est dans l'armée depuis presque trois ans et jamais il a pris une de ses permissions pour venir à la maison.

FLEURETTE. – Parce qu'il était toujours loin de Montréal.

ARMAND. – Longueuil c'est de l'autre côté du pont.

BERTHA. – Sa famille l'a jamais intéressé. Avant de s'engager comme soldat, il passait la plupart de ses nuits dans les maisons de chambres.

ÉDOUARD, *d'une voix basse et contenue.* – Je t'avais demandé de décorer le salon, Bertha!

BERTHA. – Penses-tu que j'avais le temps?

ÉDOUARD. – Une semaine complète; tes deux filles t'auraient aidée.

BERTHA. – Marguerite se cherche un emploi et puis Fleurette travaille. Tu le sais!

FLEURETTE. – Si tu m'en avais parlé, m'man…

ARMAND, *qui vient à la rescousse de Bertha.* – T'es toujours sortie le soir. Tu traînes les rues…

FLEURETTE. – Toujours? Pas vrai. Et puis je traîne pas les rues.

ARMAND. – En tout cas! C'est pas grave. Je suis d'accord pour qu'on fête le retour de Joseph mais faut pas dépasser les bornes. Y est même pas allé de l'autre côté, je vois pas pourquoi on le recevrait comme un héros.

ÉDOUARD, *bas, lentement.* – J'ai pensé aux décorations parce que ça fait longtemps qu'on l'a pas vu.

FLEURETTE. – Et puis il s'est enrôlé! Y a pas eu peur, y a pas attendu qu'on vienne le chercher.

Armand sourit avec ironie.

MARGUERITE. – Il pouvait pas faire mieux que de s'enrôler, dans le civil y avait pas de place pour lui.

FLEURETTE, *naïve et convaincue.* – C'est quand même beau quelqu'un qui s'engage pour défendre son pays.

ARMAND, *qui s'y connaît un peu plus.* – Pas son pays, l'Angleterre! Différence. En politique j'en connais un peu plus long que toi, ma p'tite fille.

Il se prépare à sortir.

ÉDOUARD. – Tu sors?

ARMAND. – Je vais m'absenter de la fête un moment. J'ai un client à voir. Une p'tite police sur la vie à lui vendre.

ÉDOUARD, *qui le regarde endosser son veston.* – J'avais demandé que tout le monde soit là, Armand.

ARMAND. – Je vais y être, je reviens tout de suite.

ÉDOUARD. – Ça m'arrive pourtant pas souvent de demander quelque chose.

ARMAND, *qui se tourne vers lui.* – Ça c'est vrai, le père. Mais j'ai fait mon possible. J'ai suffisamment perdu de temps.

> *Et comme il se dirige vers la porte de la sortie, Joseph dévale la pente de la ruelle à grandes enjambées et entre en trombe dans la maison, vêtu de son costume militaire et portant un sac bourré de bagages sur son épaule. Le col de sa vareuse est ouvert et sa cravate dénouée. Il porte son béret à l'arrière de sa tête, ce qui lui donne tout de suite un caractère débraillé et revêche. Dès qu'il l'aperçoit, Armand s'immobilise, stupéfié.*

JOSEPH *fait claquer ses talons et parodie la façon militaire allemande de saluer.* − Heil Hitler!... (*Il éclate d'un grand rire et lance son sac dans les bras d'Armand qui vient tout près de tomber à la renverse.*)

ARMAND, *rire jaune et forcé.* − Si c'est pas le héros de la famille!

JOSEPH. − Salut, mon Armand!

ARMAND, *faux.* − Welcome home! Welcome home!

FLEURETTE, *qui s'est levée vivement et se jette dans les bras de Joseph.* − Joseph! On t'attendait Joseph! On t'attendait! Je suis même allée jusqu'à la gare. Je t'ai pas vu. T'es un mauvais garçon!

JOSEPH, *heureux de la revoir, la serre dans ses bras en riant.* − T'aurais pas dû, j'ai sauté du train quand il s'est mis à ralentir près de la rue Atwater. (*Puis il l'écarte un peu de lui et l'examine des pieds à la tête. Son regard s'arrête à la hauteur de sa poitrine ferme et jeune. Il siffle d'admiration.*) C'est pas des prunes! T'as grandi depuis que je suis parti. T'es une belle fille!

> *Fleurette rougit, sourit et baisse les yeux. Il se détache aussitôt d'elle et va vers son père à qui il tend la main. Pendant ce temps, Fleurette prend les bagages de Joseph et les porte à sa chambre.*

JOSEPH, *généreux et avec beaucoup d'affection.* − Bonsoir, p'pa!

ÉDOUARD, *qui contient son émotion.* − On est content de te revoir mon garçon. T'as fait un bon voyage?

JOSEPH. − Pas pire, sais-tu, pas pire! Le Nouveau-Brunswick a été plutôt long à traverser mais on s'est barbouillé la face au gros gin.

ÉDOUARD. – On t'attendait un peu plus de bonne heure.

JOSEPH. – J'ai pris quelques verres de bière en laissant le train. Avec des gars de mon peloton... On pouvait plus se séparer.

BERTHA. – C'est bien ce qu'on a pensé.

JOSEPH. – Tiens!... Je t'avais pas vue la mère!... Toujours aussi forte dans les devinettes!

> *Il contourne la table et va l'embrasser sur la joue d'une manière assez frustre tout en lui appliquant une tape vigoureuse sur les fesses qu'elle a d'ailleurs en évidence.*

BERTHA, *vexée, porte une main à sa joue et l'autre à ses fesses*. – Pas nécessaire de m'arracher la peau du visage!

JOSEPH, *que cela amuse*. – T'en as de reste... (*À Marguerite restée assise, qui le regarde stupidement la bouche ouverte.*) Dérange-toi pas la grande, je t'embrasserai au jour de l'An.

MARGUERITE, *sourire aigre*. – Je suis contente de voir que t'as pas changé.

JOSEPH. – Je suis direct. J'ai toujours été direct. Je passe jamais par quatre chemins pour dire ce que je pense. Comptez pas sur moi pour les cérémonies.

ÉDOUARD. – Tu dois avoir faim, tu vas manger un peu.

BERTHA. – Même s'il reste plus grand-chose, on peut s'arranger pour...

JOSEPH, *qui la coupe*. – Comme je voulais pas me retrouver devant les restes de la famille, j'ai pris une bouchée au premier Northeastern que j'ai rencontré… Je te connais assez, la mère, j'ai pas pris de chances.

> *Vexée, incapable de répondre, Bertha disparaît dans la cuisine.*

ARMAND. – M'man t'avait préparé un beau souper de fête.

JOSEPH. – Dis-moi pas! Elle s'est mêlée dans son calendrier! Ma fête est rien qu'au mois de janvier et puis je suis pas habitué à ce qu'on fasse du spécial quand ça arrive.

> *Marguerite passe à son tour à la cuisine. Joseph s'allume une cigarette, en offre une à son père qui l'accepte et à Armand qui la refuse comme si c'était du poison. Apercevant ensuite Fleurette, il la pourchasse autour de la table pour s'amuser un peu.*

FLEURETTE, *qui rit comme une enfant.* – T'es fou, Joseph! T'es fou!

JOSEPH. – T'es aussi agile qu'un chat, ma p'tite bonjour!…

> *Et Fleurette arrive nez à nez avec sa mère qui paraît dans la porte de la cuisine.*

BERTHA, *autoritaire.* – Viens laver la vaisselle!

FLEURETTE. – C'est ce que j'allais faire, m'man.

> *Elle penche la tête et entre dans la cuisine après avoir jeté un coup d'œil complice en direction de Joseph.*

BERTHA, *à Joseph*. – Excité! Tu resteras toujours aussi excité!

JOSEPH. – Et puis après, la mère!

Bertha hausse les épaules et retourne une autre fois dans sa cuisine.

JOSEPH, *qui pense déjà à autre chose*. – As-tu de la bière sur la glace, le père? Une bonne grosse «Black Horse» me ferait du bien.

ÉDOUARD. – Y as-tu pensé, Armand?

ARMAND, *qui ment mal*. – J'ai complètement oublié! Mais je peux aller à l'épicerie tout de suite si tu veux.

ÉDOUARD. – Après sept heures les épiceries sont fermées, tu le sais bien.

JOSEPH, *à Armand*. – Toujours Lacordaire le garçon?

ARMAND. – J'ai jamais été Lacordaire, voyons!

JOSEPH. – Je me souviens pas d'avoir pris un coup souvent avec toi.

ARMAND. – J'ai pas besoin de boire pour faire mon chemin.

JOSEPH. – Je le sais. T'es venu au monde débrouillard. Un vrai p'tit génie!… Vas-tu passer des «télégraphes» aux prochaines élections, comme la dernière fois?

ÉDOUARD. – Si tu veux, on va trouver un autre sujet, Joseph.

ARMAND. – Ce serait mieux! Et puis tu sauras que j'ai jamais passé de «télégraphes» aux élections. J'ai aidé l'organisateur du comté, rien de plus.

JOSEPH, *que cette subtilité amuse et qui persiste dans la même voie*. – Il t'a bien récompensé par exemple! Le député t'a pas oublié quand t'as reçu tes papiers militaires. Moi, j'aurais aimé assister à ton examen médical. T'as dû parader devant un p'tit docteur bedonnant, paqueté jusqu'aux dents, qui avait reçu ses ordres juste avant que tu te présentes. Y a dû roter en ouvrant la bouche et puis te déclarer impotent sur toute la ligne.

ARMAND. – Ça va, Joseph, ça va. Essaie pas de jouer au plus fin parce que t'as fait ton service. T'as été dans l'armée plus que deux ans et puis t'es seulement pas revenu avec un grade de caporal.

JOSEPH. – Parce que j'ai pas voulu, p'tit frère. Parce que ça m'intéressait pas de sortir des rangs et puis de gueuler des ordres en anglais devant le peloton. J'étais pas le gars pour commander à mes amis.

ÉDOUARD. – Si tu avais voulu, tu serais devenu caporal ?

JOSEPH. – N'importe quel jour de la semaine. *(Il fait claquer son doigt dans sa main.)* Comme ça !

Armand sourit ironiquement.

JOSEPH. – Mais c'est pas pour ça que je suis entré dans l'armée… *(Il s'assombrit.)* Je demandais pas plus que d'être *private*, le père, un simple soldat comme tout le monde et puis de partir. Faire quelque chose de mes mains. Faire quelqu'un de Joseph Latour. Ou bien d'aller crever quelque part dans un pays que je connais pas.

> *Joseph s'est assombri un moment. Édouard et Armand le regardent sans rien dire. Marguerite sort de la cuisine en se limant les ongles et en faisant onduler ses hanches avec*

*indifférence. Joseph l'aperçoit aussitôt et ses
traits passent de la gravité à la malice. Il siffle
derrière elle comme c'était alors l'habitude
de flirter une fille dans la rue. Et Marguerite,
presque mécaniquement, tourne aussitôt la
tête dans sa direction.*

JOSEPH. – Tu réponds vite la grande ! T'aurais
fait fureur à Halifax. Les gars étaient fous des grandes filles comme toi… T'es le genre à épingler sur le
mur d'une caserne, ou bien avec qui faire des folies…,
un soir en passant.

*Furieuse, Marguerite voudrait répliquer mais
en est incapable. Elle préfère s'enfermer dans
sa chambre.*

ARMAND. – T'es plus avec les voyous de l'armée.
ÉDOUARD. – Tu devrais faire attention à ce que
tu dis, Joseph.

Armand s'éloigne indigné vers la porte de sortie.

ARMAND. – Je m'en vais chez mon client.
JOSEPH. – C'est ça. Prends tout le temps qu'il faut
mais vole-le pas trop.

*Il éclate de son grand rire qui n'a rien de
méchant. Pour lui c'est une seconde nature
de traiter les gens de la sorte.*

ARMAND. – T'aurais dû y aller de l'autre côté. Ça
t'aurait peut-être fait du bien. Ça t'aurait peut-être
mis un peu de plomb dans la tête. Soldat manqué !

*Joseph bondit sur ses jambes comme si cela
l'avait atteint droit au cœur. Il se serait jeté
sur Armand pour lui faire ravaler ses paroles
si ce dernier n'était pas sorti immédiatement
pour s'éloigner dans la rue.*

ÉDOUARD, *conscient du changement d'attitude
de Joseph.* – Qu'est-ce que t'as, Joseph ?

JOSEPH. – Rien, laisse faire, le père, j'ai rien… *(Et
il se détend quelque peu.)* On s'amuse pas longtemps
dans la baraque. Je vois que c'est resté comme avant.
À part la p'tite, personne n'entend à rire… *(Et il s'assoit, pensant immédiatement à autre chose. Avec un
débordement d'amitié et d'intérêt il se penche vers
son père.)* Et puis toi, le père ? Comment ça va ? Toujours le même métier ? Toujours le même camion ?

ÉDOUARD, *qui s'assombrit légèrement.* – Toujours,
oui Joseph.

JOSEPH. – Je pensais qu'avec le temps tu serais
devenu contrôleur à l'expédition.

ÉDOUARD. – J'aime mieux travailler dehors. Je
suis tout seul et puis je me sens à mon aise. Je me
compte encore chanceux, Joseph.

JOSEPH. – Bah ! T'avais tout ce qu'il faut pour
être un chef. C'est parce que c'est une maudite compagnie d'Anglais.

ÉDOUARD. – Pour être franc avec toi, j'ai demandé
deux ou trois fois d'être promu, mais… *(Faisant dans
le vide un geste d'impuissance.)* Faut croire que j'ai
pas les capacités.

JOSEPH. – Tu me racontes des peurs.

ÉDOUARD. – Faut croire que je vieillis aussi. Que
j'ai laissé passer ma chance.

JOSEPH. – Moi je les aurais sacrés là et puis je me serais présenté ailleurs. Je continuerais pas de travailler pour des caves. Les capacités mon œil! Je sais que tu les as.

ÉDOUARD, *qui se déride.* – Tu règles ça vite, toi Joseph!... Mais c'est pas mon problème qui m'intéresse ce soir...

JOSEPH. – Tu vas me dire que c'est le mien?

ÉDOUARD. – C'est normal que je me fasse du souci pour toi... Tu dois avoir fait des projets! Tu t'es pas battu, l'armée te paiera pas de pension!

JOSEPH. – J'ai pas encore pensé à ça, le père.

ÉDOUARD. – Va falloir que tu commences à te chercher un emploi.

JOSEPH. – J'y verrai quand le moment sera venu. Dans le temps comme dans le temps, comme on dit. Peut-être aussi que je vais attendre la prochaine guerre. Soldat, c'est encore ce qu'il y a de mieux. Et puis j'aurai pas fait mon entraînement pour rien.

ÉDOUARD. – T'aimes l'armée tant que ça?

JOSEPH. – Ouais!... Je me suis aperçu tout à coup que c'était ma place, ma seule place. Je dis pas que j'étais un bon soldat. C'est pas en mettant un costume kaki sur le dos d'un gars que tu lui enlèves sa tête de cochon. Mais ça fait rien. J'ai réussi à me faire endurer, à marcher dans le rang. J'étais le plus fort de mon peloton, le meilleur athlète... Avant que je m'enrôle, tu te souviens le père? J'étais pas capable de garder un emploi, j'en voulais à tout le monde, je faisais mal mon travail, je cassais la gueule de mes bourgeois, j'étais jamais content de rien.

ÉDOUARD. – T'étais pas plus bête qu'Armand, t'aurais pu réussir aussi bien que lui.

JOSEPH. – Tu vas pas recommencer avec la même p'tite chanson ! J'ai jamais tenu à imiter Armand. Qu'il fasse sa vie, moi je fais la mienne.

ÉDOUARD. – Des fois, je me demande comment t'es bâti, Joseph ?

JOSEPH. – Moi aussi, le père, je me le suis souvent demandé. Tout ce que je peux répondre c'est que c'est toi qui m'as fait comme ça.

Il éclate de rire. Fleurette, qui a fini de laver la vaisselle, sort de la cuisine.

FLEURETTE. – Sors-tu avec moi, ce soir ?

JOSEPH. – N'importe quel temps, mon cœur. Une invitation comme celle-là c'est pas refusable. Et puis il me reste encore quelques piastres sur ma dernière paye.

FLEURETTE. – Amène-moi au parc Lafontaine écouter la fanfare.

JOSEPH. – Aussitôt prête, tu me fais signe.

FLEURETTE. – Je suis prête tout de suite ! Viens-t'en tout de suite !

JOSEPH. – Parle-moi de ça ! T'es pas une fille compliquée !

Il se lève et se dirige vers elle.

FLEURETTE. – C'est la première fois de ma vie que je sors avec un soldat.

Il lui prend la taille et ils sortent de la maison.

JOSEPH, *à Édouard avant de sortir.* – On se par-lera un autre soir, le père !... *(À Fleurette une fois dans la rue.)* T'es pas comme la grande, tu perds pas ton temps à te farder.

FLEURETTE. – J'ai seulement quinze ans, Joseph, attends que j'aie son âge.

> *Ils sont sortis de scène. Mi-heureux, mi-perplexe, Édouard se lève, va chercher son journal et s'assoit dans un coin pour lire. Paraît Bertha. Elle s'essuie les mains à son tablier. Ensuite elle le dénoue et le lance dans la cuisine. Elle n'est pas d'excellente humeur. Elle essaie par tous les moyens d'attirer l'attention d'Édouard dont le silence l'exaspère davantage. N'y parvenant pas, elle s'approche de la table, décroche les panneaux des deux extrémités et les laisse se rabattre avec fracas. Édouard sursaute à chaque bruit mais continue de se taire et de lire. Bertha repousse alors la table dans un coin et remet les chaises à leur place tout en continuant de faire le plus de bruit possible. Édouard demeure immuable mais on sent que son impatience grandit. N'en pouvant plus, Bertha s'allume rageusement une cigarette et, les deux mains sur les hanches, décide d'attaquer l'ennemi de front.*

BERTHA *crie*. – Édouard!

ÉDOUARD, *sur le même ton qu'elle*. – Qu'est-ce que tu me veux?

BERTHA, *tout de même surprise*. – Pas si fort, je suis pas sourde.

ÉDOUARD. – Depuis cinq minutes que t'essaies de démolir les meubles, qu'est-ce qui te prend?

BERTHA. – Tu l'as vu ?

ÉDOUARD, *bourru*. – Qui ?

BERTHA. – Joseph ! Ton garçon Joseph !

ÉDOUARD. – Certain que je l'ai vu. Autant que vous autres. Deviens-tu folle ?

BERTHA. – Non, je deviens pas folle… T'es content ?

ÉDOUARD. – Qu'il soit revenu, oui. Je trouve qu'il a été assez longtemps parti.

BERTHA. – Pas moi. Il aurait pu rester loin de la maison un autre trois ans, je m'en serais pas plus mal portée.

ÉDOUARD. – C'est mon garçon.

BERTHA *crie*. – C'est le pire voyou du quartier !

ÉDOUARD. – Je te défends de dire ça. Et puis cesse de me crier dans les oreilles. Ça fait seulement dix minutes qu'il est rentré…

BERTHA. – Je suis déjà plus capable de l'endurer, Édouard ! Il a gardé son air fendant, il rit de nous autres à notre nez.

ÉDOUARD. – T'as les nerfs dérangés, essaie de te contrôler un peu.

BERTHA. – Ça allait trop bien dans la maison. Il va recommencer à nous faire enrager à tour de rôle, à nous diviser.

ÉDOUARD, *qui se lève et pesant bien chaque mot*. – J'ai jamais trouvé que ça allait si bien que ça dans la maison, Bertha.

BERTHA. – C'était à toi de rester veuf, il y a quinze ans.

ÉDOUARD. – J'étais comme toi, j'avais besoin de me remarier. J'avais un garçon sur les bras et puis je me disais que ça lui ferait du bien d'avoir une mère.

BERTHA. – Moi, c'est pour Armand et Marguerite que j'ai accepté, que j'ai dit oui. Sans ça...

ÉDOUARD. – Si t'as dit oui, cesse de chialer. Après quinze ans, il est trop tard pour se lamenter... Quand Fleurette est venue au monde, je croyais que ça nous unirait un peu plus. Pas une miette. Encore là, je m'étais fait des illusions.

BERTHA. – Tu peux pas dire que c'est de ma faute, Édouard!

ÉDOUARD. – C'est peut-être de la mienne?

BERTHA. – Ni de la tienne. C'est ton garçon Joseph qui a toujours tout jeté par terre, qui s'est toujours arrangé pour empêcher que ça aille bien.

ÉDOUARD. – Il a été parti trois ans...

BERTHA. – Le mal était déjà fait. C'est lui le responsable. Mais t'as besoin de le prévenir, Édouard, t'as besoin de lui parler au plus vite, parce que s'il continue d'être aussi fendant avec nous autres, si t'es pas capable de lui enseigner un brin de politesse, je fais mes p'tits et puis je prends la porte.

ÉDOUARD. – Je lui parlerai, Bertha, je lui dirai.

Elle voudrait ajouter quelque chose mais ne trouve plus de mots, sa colère l'étouffe. Elle se dirige d'un pas énergique vers sa chambre et s'y enferme. Laissé seul, Édouard tourne en rond quelques secondes dans la pièce. Au loin: sirènes de bateau, bruits de la ville. Édouard s'immobilise écoute vaguement, puis hausse les épaules comme s'il voulait oublier la scène qui vient de se produire. On sonne à la porte d'entrée. C'est Tit-Mine, cigare au bec, chapeau sur les yeux. Comme Édouard se dirige

*lentement vers la porte pour ouvrir, Marguerite
sort rapidement de sa chambre toute pom-
ponnée et vêtue d'une robe aux couleurs vives.
Elle fait un peu poule. Elle se hâte de façon à
répondre à la porte avant Édouard.*

MARGUERITE. – C'est pour moi! C'est Tit-Mine,
b'soir p'pa.

ÉDOUARD *fait un signe de tête désintéressé.*
– B'soir…

*Marguerite est sortie précipitamment de la
maison pour se retrouver dans la rue, face à
Tit-Mine.*

MARGUERITE. – Allô Tit-Mine!

TIT-MINE *la regarde comme il faut.* – Ouais…
C'est pas trop mal réussi. Toujours dans les mêmes
dispositions?

MARGUERITE, *qui ne veut pas répondre directement.* – Où est-ce que tu m'emmènes?

TIT-MINE. – Dans des clubs chics où tu t'ennuie-
ras pas… Les deux Américains dont je t'ai parlé,
m'ont demandé d'organiser leurs loisirs cette nuit.

MARGUERITE. – Je te suis.

TIT-MINE. – Tu pars avec moi mais ça veut pas
dire que tu vas revenir avec moi. C'est bien entendu.

MARGUERITE. – On va parler de ça ailleurs qu'ici.

TIT-MINE. – Mais c'est bien entendu?

MARGUERITE. – Oui, Tit-Mine, oui. Du moment
que je reviendrai pas les mains vides. Je veux bien me
priver de toi mais à condition que ce soit pour quelque
chose.

TIT-MINE. – Sois pas inquiète. Avec moi, sois jamais inquiète, chérie.

> *Elle va s'éloigner vers la droite mais Tit-Mine l'entraîne dans la direction opposée.*

TIT-MINE. – Ma Plymouth est dans l'autre rue.

> *Ils sortent. Édouard, lui, a eu le temps de bourrer sa pipe et de l'allumer. Il traverse la pièce et sort de la maison au moment où on entend la voiture de Tit-Mine qui démarre. Lentement il s'assoit dans les marches du perron pour se reposer un peu. Dans la nuit du faubourg, une voix d'homme chante. Un couple d'amoureux passe dans la rue, des chats miaulent et rêvent dans les arrière-cours.*

C'est par les soirs d'été
Que les roses fleurissent
Mais il faut pas pleurer
Lorsqu'elles se flétrissent

Les fill's sont comme roses
Fragiles et rebelles
Ne soyez pas moroses
Si ell's sont infidèles

Elles cherchent l'amour
Et ne trouvent que larmes
Et c'est jour après jour
Qu'elles perdent leurs charmes

*Tout est noir. Une petite musique de carrousel
ou de parc d'amusement succède à la chanson.*

SCÈNE IV

*Quand la lumière revient la musique de car-
rousel s'étiole progressivement et nous sommes transportés au parc Lafontaine sur le
pont des amoureux. En arrière-plan : la fontaine lumineuse. C'est le même soir, il est
environ dix heures. Paraissent Joseph et
Fleurette accompagnés de Tournevis, un
grand mince, et de Pitou, un gros court, et de
quelques autres comparses que Joseph vient
de retrouver. Il était leur chef avant de s'engager dans l'armée et il a tout de suite recon-
quis son prestige auprès d'eux. Il est magni-
fique et débraillé dans son costume militaire.*

JOSEPH. – Tournevis, t'es un traître ! *(Il le frappe
à l'épaule.)* T'es passé du côté de Latreille !

TOURNEVIS. – C'est pas vrai ! Demande à Pitou.
On suivait Latreille mais rien qu'en attendant.

PITOU. – Latreille voulait pas de lui mais Tournevis a tout fait pour devenir son esclave.

JOSEPH. – Je le savais, c'est dans son style.

TOURNEVIS, *à Pitou.* – T'as toujours été avec
moi, Pitou. À partir du moment où on a déserté.

JOSEPH. – De toutes façons, c'est pas grave. Je
viens de régler le cas de Latreille. C'est pas lui qui va
faire la loi demain dans le parc.

PITOU. – Maintenant que t'es revenu, toute la
bande va te suivre, Joseph.

JOSEPH. – Toi aussi Tournevis? *(Il le frappe à l'autre épaule.)*

TOURNEVIS. – N'importe où, Joseph… Depuis le soir où je t'ai vu te battre contre cinq autres gars et puis gagner la bataille, je connais personne qui peut prendre ta place.

JOSEPH. – Dans l'armée, il m'en est arrivé des pires que ça. Quand j'étais à Berlin…

FLEURETTE, *sur un ton de doux reproche.* – Joseph!

JOSEPH. – Laisse-moi faire. J'ai le goût de raconter des histoires.

FLEURETTE. – Même des histoires pas vraies?

JOSEPH. – Toutes sortes d'histoires! Ils me croient toujours. Pas vrai, Pitou?

PITOU. – Ah! Oui c'est vrai!

JOSEPH. – Hein Tournevis?

TOURNEVIS. – C'est vrai certain.

JOSEPH. – À Berlin, j'en ai vues des vertes puis des pas mûres. D'abord faut que je vous dise que je me suis laissé faire prisonnier par les Allemands.

FLEURETTE. – Ça, Joseph…

JOSEPH. – Dis pas un mot la p'tite, gâte pas mon plaisir.

FLEURETTE. – Moi, ça m'est égal, raconte n'importe quel mensonge, si ça t'amuse.

JOSEPH. – J'étais donc à Berlin. Je voulais voir le Furhër. *(Prononcer «fureur».)* Adolphe pour les intimes. Hitler pour les autres. Il venait de se faire sauter la fiole. Ça fait que j'ai demandé à rencontrer ses esclaves, Goebels et Goering. J'avais deux ou trois mots à leur dire dans ma langue à moi. Mais j'ai pas eu plus de chance. Quand ils ont su que j'étais là, ils sont disparus à leur tour.

TOURNEVIS. – Ils avaient entendu parler de toi, certain!

PITOU. – Ils te connaissaient de réputation.

JOSEPH. – Je sais pas trop ce qui leur a pris mais c'est là que la guerre a fini.

TOURNEVIS ET D'AUTRES *chantent*. – «Il a gagné ses épaulettes!»... ou: «Le Régiment de Sambre et Meuse»... ou: «Le rêve passe»...

JOSEPH. – Vos gueules, bande de caves!

Tous se taisent.

FLEURETTE. – Ils t'admirent, Joseph.

JOSEPH. – C'est pas ça qui me rend heureux, la p'tite... Le parc a changé depuis que je suis parti. On dirait qu'il a rapetissé. La fontaine pisse pas aussi haut qu'avant.

PITOU. – Chante-nous quelque chose avant que la fanfare recommence à jouer.

TOURNEVIS. – Une chanson de l'armée.

JOSEPH. – J'en connais pas mal de nouvelles mais c'est pas pour les enfants.

FLEURETTE. – J'écouterai pas, je te le promets.

JOSEPH. – Ferme-toi les oreilles comme il faut parce que ça parle d'amour.

TOURNEVIS. – Depuis que toute la paroisse sait que le curé couche avec la présidente des enfants de Marie, la morale est pas mal sur le cul.

PITOU. – Le curé aussi. Et puis les jeunes filles vieillissent un peu plus vite qu'avant.

JOSEPH. – Si vous voulez que je chante, fermez-vous!

TOURNEVIS. – On t'écoute, Joseph!

PITOU. – On parlait pour parler, comme ça…

JOSEPH. – C'est une chanson qui est à mon répertoire depuis pas trop longtemps. Le gars qui l'a composée était dans le même peloton que moi, il venait d'avoir une peine d'amour. Un de ses amis l'avait traité de cocu et puis ça l'avait mis en maudit. Ça commence comme ça… *(Il chante.)*

T'as pas besoin d'chercher longtemps
Pour trouver chaussur' à ton pied
Profit' d'la vie pendant qu'c'est l'temps
Tu peux rien fair' du temps passé

Si tu veux la fill' du voisin
Oublie donc la délicatesse
Les bonn's manièr's ça donne rien
Mets-lui tout d'suit' ta main aux fesses

T'as pas besoin d'courir longtemps
Pour te trouver un' bonn' couchette
Pour un soldat c'est le printemps
De fair' l'amour dans les violettes.

> *Tous rient et se délectent de la chanson. Pendant que Joseph chantait, Ronald est entré en scène et, tout en restant à l'écart du groupe, reluque Fleurette avec intérêt. Mais celle-ci ne s'en aperçoit pas encore.*

TOURNEVIS. – Si tu la chantais dans un programme d'amateurs, tu gagnerais le premier prix.

PITOU. – Garanti. C'est parfait ça, Joseph. C'est numéro un.

JOSEPH. – J'aime pas les amateurs *(En arrière-plan la fanfare commence à jouer le* God Save the King.*)* Mais ma foi du Saint-Sépulcre! c'est le *God save the King* que la fanfare joue là!

TOURNEVIS. – En plein ça.

PITOU. – Tous les soirs, le concert finit par le *God Save the King.*

JOSEPH. – C'est une mauvaise habitude à prendre. Faut changer ça. *(À Fleurette.)* Attends-moi, mon cœur, on va leur faire jouer un tango. *(À Tournevis.)* Trouve une bouteille vide, remplis-la d'eau dans le lac. *(À Pitou.)* Toi, ramasse des cailloux! À partir de tout de suite je deviens le chef d'orchestre. Suivez-moi, on va rire. *(À Fleurette.)* Bouge pas de là, toi!

Ils sortent.

FLEURETTE. – Joseph! Qu'est-ce que tu fais?

Ils sont déjà trop loin. Ronald s'approche sensiblement de Fleurette.

RONALD. – Bon... bonsoir, mademoiselle.

FLEURETTE, *très agressive.* – Qu'est-ce que vous me voulez?

RONALD, *intimidé.* – Rien... Rien, seulement parler.

FLEURETTE. – Je parle pas aux garçons que je connais pas.

RONALD, *qui s'approche de plus près.* – On pourrait se connaître... Un beau soir d'été comme ça... je sais pas mais vous devriez avoir confiance!

Il va poser son bras sur son épaule.

FLEURETTE, *qui s'écarte farouchement de lui.*
– Touchez-moi pas! Sinon j'appelle mon frère Joseph.

RONALD. – Correct, correct!... Le monde est rempli de belles filles comme vous.

FLEURETTE. – Profitez-en alors! Allez voir ailleurs.

RONALD. – Vous me le direz pas deux fois.

Mais il ne bouge pas. Fleurette qui regardait dans la direction où est parti Joseph fait volte-face et se retrouve nez à nez avec Ronald, convaincue qu'il s'était déjà éloigné.

FLEURETTE. – Qu'est-ce que vous attendez pour partir?

RONALD. – Je m'en vais, je pars!... Mais je vous reverrai... Je sais où vous restez, je vous ai déjà suivie un soir.

FLEURETTE. – Les garçons m'intéressent pas.

RONALD. – Faut pas dire ça trop vite... Je suis certain qu'on se retrouvera.

Il s'éloigne et sort. On entend la fanfare qui commence à fausser et très vite c'est la déban-dade musicale. L'orchestre en vient finale-ment à s'arrêter tout à fait.

FLEURETTE, *d'abord inquiète.* – Joseph!... Qu'est-ce qu'il fait, mon Dieu?... Joseph! La police va t'arrê-ter!... Joseph! *(Puis n'en pouvant plus, elle éclate de rire. Elle rit peut-être comme elle n'a jamais ri. Puis brusquement elle s'arrête. Et quand l'orchestre s'est tu complètement,* on *entend la petite musique de carrousel qui revient en arrière-plan.)* Joseph!... Pourquoi t'agis comme ça, Joseph?... *(Elle a presque les larmes aux yeux.)* Espèce de grand fou, va!

> *Et lentement, le rideau descend. C'est la fin du premier acte.*

DEUXIÈME ACTE

SCÈNE V

Deux mois plus tard, le soir vers sept heures trente. Une chorale d'enfants chante le Tantum Ergo *à l'église. D'autres enfants jouent aux voleurs dans la rue. Ils se tirent des coups de pistolets de bois, ils tombent, ils meurent, ils se relèvent et ils repartent. Paraît Bertha qui vient s'appuyer sur son oreiller à la fenêtre. Entre la mère Brochu qui revient de l'église. Elle va passer tout droit sans saluer Bertha mais cette dernière l'arrête.*

BERTHA. – Sauvez-vous pas si vite, mère Brochu.

BROCHU. – J'aimerais pouvoir vous parler, Bertha, mais après le deuil qui m'a frappée...

BERTHA. – Quel deuil, mère Brochu ? Qu'est-ce qui vous est encore arrivé ?

BROCHU. – Faites pas semblant de l'ignorer. Tout le quartier est au courant.

BERTHA. – Je peux pas connaître toutes les nouvelles, je suis pas une tireuse de cartes.

BROCHU. – Même quand c'est votre garçon qui...

BERTHA. – Armand ?

BROCHU. – Non, l'autre, le grand fainéant, votre Joseph.

BERTHA. – Je vous ai déjà dit que c'était pas mon Joseph. Que c'était rien que la moitié de mon fils.

BROCHU. – Je suis certaine que c'est lui qui m'a fait ce coup-là.

BERTHA. – Mais quel coup?

BROCHU. – Mes deux plus beaux chats. Les deux que j'aimais le plus. *(Elle se signe.)* Il les a noyés dans l'eau bouillante pour amuser les enfants de la rue.

BERTHA, *qui aurait quand même envie de rire.* – C'est pas vrai, mère Brochu?

BROCHU. – Je mettrais ma main dans le feu que c'est lui.

BERTHA. – Il est revenu depuis deux mois et puis c'est tout ce qu'il a réussi à faire, des mauvais coups, des saloperies à tout le monde. On peut pas dire que l'armée l'a aidé celui-là.

BROCHU. – L'armée ça aide personne en dehors des officiers. Et puis je sais ce que je dis: mon défunt mari a été soldat en quatorze dix-huit.

BERTHA. – Faites dire une messe, mère Brochu.

BROCHU. – À qui?

BERTHA. – À vos deux chats.

BROCHU. – Vous savez bien que l'Église catholique s'occupe pas de l'âme des animaux!... *(Elle est vexée.)* Protestante!

Et elle sort.

BERTHA, *qui lui rend l'injure.* – Rongeuse de balustres!

Bertha hausse les épaules et fixe le vide immobile. La mère Brochu reparaît subrepticement.

BROCHU. – Ça sentira le brûlé quand le diable vous fera chauffer en enfer.

Et elle sort immédiatement comme une petite souris.

BERTHA. – L'enfer!... *(Elle hausse les épaules.)*

On entend la voix du marchand de glace qui passe en arrière-plan. Sur la passerelle du haut paraît Fleurette qui peigne ses cheveux et qui rêve dans le soir. Elle et Bertha ne se voient pas.

MARCHAND. – D'la glace madame,
Un gros morceau pour vous...
Un p'tit trente sous pour moi.
D'la glace madame,
Un gros morceau pour vous...
Un p'tit trente sous pour moi.

Et sa voix se perd pendant que l'éclairage s'éteint et qu'on entend un train qui passe au loin.

SCÈNE VI

Le même soir, quelques heures plus tard. Nous retrouvons Joseph dans le « grill » où il a pris l'habitude d'aller. Une musique de jitterbug de l'époque nous parvient de la salle de danse. Joseph est assis à une table en compagnie de Dolorès. À part eux, il n'y a qu'un client anonyme, un jeune matelot qui boit de la bière dans un coin. De temps à autre il jette un coup d'œil prudent, mais rempli de convoitise, à la compagne de Joseph. À remarquer que Joseph, maintenant vêtu en civil, porte quand même la vareuse de son uniforme militaire.

JOSEPH. – J'étais dans l'infanterie. J'ai passé deux ans au front. Et puis je peux te dire une chose, bébé...

DOLORÈS. – Appelle-moi Dolorès...

JOSEPH, *conscient du manège du jeune matelot.* – Je peux te dire une chose, Dolorès: c'est pas drôle la guerre, c'est pas drôle une miette. J'étais à Dieppe, j'ai vu mourir des gars à côté de moi. Ils tombaient comme des mouches... *(Il se retourne vivement pour surprendre l'œillade que lance le marin à Dolorès. Il l'apostrophe.)* Si tu continues de te dévisser le cou comme ça, tu vas te retrouver avec un torticolis et puis ça c'est pas bon quand on est dans la marine, t'es plus capable de regarder dans le périscope ensuite. Bois dans ton verre et puis mets pas ton nez dans ma tale, correct?... *(À Dolorès.)* Le connais-tu?

DOLORÈS. – Non. Continue ton histoire, mon minou.

JOSEPH. – Je disais donc que c'était pas beau à voir... J'étais en train d'enterrer un de mes amis quand tout à coup je reçois une balle dans le côté... *(Dolorès lui prend la main avec compassion. Entre*

Émile dans le « grill ». Il va se diriger vers la seule table libre quand il reconnaît Joseph. Il s'approche alors derrière lui. Juste assez près pour entendre la conversation. Mais Dolorès et Joseph sont trop pris pour se rendre compte de sa présence.) Ça m'a comme brûlé. Un autre serait tombé sur le dos, mais pas moi, je suis resté debout. Plus tard, si t'es fine avec moi, je te montrerai ma cicatrice.

DOLORÈS. – Tu peux être certain que je vais être fine, mon minou.

JOSEPH. – Je saignais comme un bœuf à l'abattoir. Mais ça fait rien, j'avais pas envie de mourir comme un rat. Je me suis raidi, j'ai ramassé une mitrailleuse qui traînait pas loin et puis là, les Allemands y ont goûté. Mais qu'est-ce que tu veux ? À Dieppe, on n'avait pas de chance, c'est une affaire qui avait été organisée par les Anglais.

> *Émile éclate soudainement de rire à la surprise de Dolorès et de Joseph qui tournent aussitôt la tête dans sa direction. Émile est vêtu à la mode des « zoot suits » de l'époque. Aussitôt Joseph le reconnaît.*

JOSEPH, *avec l'émotion de la surprise.* – Émile !... Qu'est-ce que tu fais là ?

ÉMILE. – Je t'écoutais raconter ton histoire, Chrysosthôme ! Je trouvais ça beau. Avec de la musique de, violon, ça m'aurait fait chialer.

JOSEPH. – Tu vas t'asseoir, tu vas t'asseoir, Émile, ça fait tellement longtemps que je t'ai vu !

ÉMILE. – Je veux pas te déranger, t'es avec un beau bébé.

JOSEPH. – T'es fou! Tu me déranges pas... Dolorès! Tu reviendras un autre soir, je finirai de te raconter comment ça s'est passé à Dieppe.

DOLORÈS. – Je peux rester avec vous deux, je dérangerai pas. Tu m'avais promis de... Ta cicatrice.

JOSEPH. – Laisse faire la cicatrice, bébé, fais-toi rare, déguise-toi en courant d'air.

DOLORÈS. – Faut avoir du front tout le tour de la tête pour me parler comme ça.

JOSEPH. – Fais ce que je t'ai dit. J'aime pas me répéter.

DOLORÈS. – Essaye plus jamais de me revoir.

Elle se lève et sort.

ÉMILE. – C'est dommage de laisser partir un beau bébé comme ça.

Le jeune matelot s'est levé précipitamment pour suivre Dolorès.

JOSEPH, *indiquant le marin qui sort.* – Je suis pas en peine pour elle.

ÉMILE, *qui s'assoit.* – C'est comme ça que tu les trôles maintenant?

JOSEPH. – Pas toujours. Des fois je change d'hameçon... Quand je suis revenu d'Halifax, y a quelqu'un qui m'a traité de soldat manqué. Je me suis dit: quant à être un soldat manqué je vais l'être jusqu'au bout.

ÉMILE. – C'était pas mal beau de t'entendre. J'avais l'impression que c'était une histoire vécue.

JOSEPH, *appelant*. – Waiter!... Moi-même je finis par me croire. Des soirs je me trouve tellement triste que je chiâle dans mon verre, Émile!...

> *Et il éclate de rire. Entre le garçon de table qui s'approche d'eux.*

JOSEPH. – Qu'est-ce que tu bois?
ÉMILE. – Un rye.
JOSEPH. – Même chose pour moi.
ÉMILE. – Pas d'eau, seulement de la glace. Sur le ciment.

> *Le garçon grimace, ramasse verres et bouteilles vides sur la table puis s'éloigne.*

JOSEPH. – Ça fait des années, Émile, des années!
ÉMILE. – J'ai bougé depuis que t'es enrôlé.
JOSEPH. – Qu'est-ce que t'as fait au juste quand je t'ai perdu de vue?
ÉMILE. – De l'argent, Chrysostôme! De l'argent! J'en ai fait et puis j'en ai perdu.

> *Le garçon apporte les deux ryes et va s'éloigner.*

ÉMILE, *au garçon*. – It's on me!

> *Le garçon acquiesce avant de sortir. Le* jitter-bug *a fait place à un blues de l'époque ou à une chanson sentimentale, genre:* «As time goes by».

ÉMILE, *levant son verre*. – Au colonel Joseph Latour, tombé au champ d'honneur.

Ils trinquent et vident leur verre d'un trait.

ÉMILE. – *Waiter!...* (*Il dépose son verre à l'envers sur la table.*)
JOSEPH, *écœuré.* – De l'eau bénite! Ça goûte rien.

Le garçon reparaît et s'approche d'eux.

ÉMILE. – *Same thing... Make it fast!*
JOSEPH. – *Make it double!*

Le garçon ramasse leurs verres vides et sort.

JOSEPH. – Ça me fait plaisir de voir que t'as pas changé. Tu prends un coup solide!
ÉMILE. – C'est avec toi que j'ai pris ma première vraie « brosse ».
JOSEPH. – Du train qu'on s'en va là, on est relancé pour quarante-huit heures. (*Lui tape amicalement dans le dos.*) Parle-moi de ça.

Entre le garçon qui les sert.

JOSEPH, *au garçon.* – *It's on me.*

Le garçon acquiesce et sort. Les deux amis tendent la main vers leur verre mais ne boivent pas tout de suite.

ÉMILE: Ouais... Moi aussi je me serais enrôlé Joseph, j'avais le goût de te suivre. Mais l'armée voulait pas de moi.
JOSEPH. – Je me suis toujours demandé pourquoi.

ÉMILE. — Les pieds plats, daltonien… *(Joseph éclate de son grand rire.)* Ris pas de mes infirmités, Chrysostôme !

JOSEPH. — Moi, ils m'ont classé numéro un tout de suite.

ÉMILE. — Quand j'ai vu qu'ils me refusaient, j'ai décidé de profiter du temps de la guerre pour faire de l'argent.

JOSEPH. — T'es pas le seul.

ÉMILE. — J'ai vendu des boîtes de beurre et puis des coupons de rationnement sur le marché noir. La nuit, je déchaussais des autos et puis je revendais les pneus le lendemain. J'avais des bons tuyaux, je faisais partie d'une bonne organisation.

JOSEPH. — Autrement dit, t'étais un maudit voleur !

ÉMILE. — Fallait que je vive Chrysostôme ! J'aurais une p'tite fortune aujourd'hui si j'avais pas tout flambé à la barbotte.

JOSEPH. — Moi, je serais peut-être quelqu'un si les Alliés avaient attendu encore un peu avant de gagner la guerre. Je serais allé là-bas, de l'autre côté, et puis je serais peut-être jamais revenu. Un gars qui se bat à la guerre, c'est un gars qui gagne pas sa vie comme tout le monde, qui fait quelque chose de spécial. Tu peux lui donner un nom, c'est un gars qui a une raison de vivre…

ÉMILE. — Tu te prenais pour le Major Triquet ? Tu voulais recevoir la Croix de Victoria ?

JOSEPH. — C'était pas les grades, c'était pas pour les décorations, Émile.

ÉMILE. — Tu te prenais pour Jeanne d'Arc ! T'aurais délivré la France ?

JOSEPH, *comme s'il ne l'entendait pas.* – Regarde-moi, Émile, regarde-moi ! J'ai jamais rien fait de bon dans ma vie. J'ai jamais été autre chose qu'un voyou. J'avais une chance devant moi tout à coup, ma première chance, je l'ai manquée. Je suis resté ce que j'étais : un voyou, un bon-à-rien.

ÉMILE. – Y a tellement de contradictions dans ta vie, Joseph... En quarante-deux, rappelle-toi, t'étais contre la conscription, tu voulais pas te battre pour le roi d'Angleterre et puis t'as été pris dans une émeute au marché Saint-Jacques, t'as passé une semaine en prison... Quand t'entendais parler du monde libre, ça te faisait rire, tu jurais que tu serais déserteur, je t'ai vu provoquer des gars de la gendarmerie royale, et puis tout à coup, personne a su pourquoi, tu t'es enrôlé.

JOSEPH. – J'étais contre la conscription, Émile, parce que le Québec avait voté contre au plébiscite. Puis après, quand je me suis enrôlé, c'est pas pour le roi d'Angleterre que je serais allé me battre, c'est pour moi-même, pour moi tout seul. Mais depuis que je suis haut comme ça, je sais pas ce qui joue contre moi, je réussis jamais rien.

ÉMILE. – Un gars comme toi, Joseph, un gars qui gagne sa vie comme soldat, un gars qui tue du monde par métier, on appelle ça un mercenaire.

JOSEPH. – Fais-moi rire avec tes grands mots. Moi, je savais ce que je voulais, c'est tout !... Ah ! Puis je me sacre de tout ça maintenant, je vis au jour le jour et puis je me sacre de tout le monde. Ce soir, je m'amuse, Émile, et puis j'aime autant plus penser à rien.

On entend l'orchestre qui se relance dans une
musique de jitterbug. *Entrent deux filles qui*
viennent s'asseoir à une table près de celle de
Joseph et d'Émile. Joseph les suit un moment
des yeux puis ramène son attention à Émile
qui lui parle.

ÉMILE. − Sais-tu ce que je suis devenu aujourd'hui,
Joseph ?

JOSEPH. − T'es pas mal habillé, tu dois travailler
dans une banque.

ÉMILE, *dégoûté.* − Non. Je suis collecteur pour
une compagnie de finance. Mais c'est seulement temporaire par exemple. Je cherche à me lancer en affaire,
à me trouver une p'tite business aussi payante que le
marché noir.

Le garçon dépose deux bières sur la table des
jeunes filles et s'en va.

JOSEPH. − Moi, je cherche rien. Du moment
qu'un gars est logé-nourri, il a tout ce qu'il faut… Il
se débrouille pour se trouver quelques piastres de
temps en temps et puis il prend son coup quand ça
fait son affaire… L'assurance-chômage c'est pas là
pour rien !… Un jour, peut-être que je me placerai les
pieds une fois pour toutes, on sait jamais.

ÉMILE. − Tu pourras pas continuer longtemps
comme ça, Joseph.

JOSEPH. − Je suis démobilisé depuis deux mois et
puis je me suis arrangé comme ça jusqu'aujourd'hui.

ÉMILE. − Tu devrais voir Tit-Mine, il te trouverait
un emploi.

JOSEPH. – J'ai pas besoin de Tit-Mine.

ÉMILE. – Il vend des chars usagés, il fait de l'argent comme de l'eau.

JOSEPH. – J'endure pas les ramasseurs d'épaves. Parce que c'est tout ce qu'il est Tit-Mine : un ramasseur d'épaves. Il achète de la vieille ferraille et puis il s'occupe de ma sœur Marguerite... J'ai pas besoin de lui. J'aime pas les bandits, j'aime pas les gars de la pègre.

ÉMILE. – Il fait pas partie de la pègre.

JOSEPH. – Réveille-toi, Émile. Y a au moins dix filles qui travaillent pour lui dans des «grills» que je connais.

ÉMILE. – Peut-être mais ça te regarde pas, toi !

JOSEPH. – Je travaillerai jamais pour Tit-Mine, j'ai pas besoin de son argent... Ah ! puis on n'est pas pour moisir ici, Émile ! Qu'est-ce que tu dirais si on se faisait aller dans le milieu de la place ? Y a deux femmes à côté qui demanderaient pas mieux.

ÉMILE. – Va leur en parler.

Joseph se lève et va vers les filles.

JOSEPH. – Moi ça me fait de la peine quand je vois deux beaux p'tits cœurs s'ennuyer comme ça... *(À la plus jolie.)* Viens me montrer si tu sais danser le *jitterbug* !

LA FILLE. – C'est ma danse préférée.

JOSEPH. – Tant mieux. Mais t'as besoin d'avoir des bonnes jambes si tu veux me suivre.

Elle se lève et commence déjà à prendre le rythme de la musique.

JOSEPH. – T'as le swing. Si ça te le dit on va aller sur le grand plancher !

Il l'entraîne vers la salle de danse. Émile va vers l'autre et l'invite d'un signe de tête. Elle accepte et le suit. La musique devient très forte et le noir se fait sur la scène.

SCÈNE VII

Le lendemain après-midi, vers cinq heures. Quand la lumière revient sur scène, nous sommes chez les Latour. À la musique de jitterbug *de la scène précédente, succède une chanson populaire de l'époque:* «We must remember this», *par les* Ink Spots. *Assise au milieu de la pièce, Bertha se berce en écoutant la radio. Marguerite sort de sa chambre, vêtue d'un tailleur aux couleurs assez sobres. Elle porte une valise. Elle se dirige vers le miroir, dépose sa valise par terre et commence à se coiffer. Bertha l'observe à la dérobée, avec une certaine émotion dans les yeux. Sur la passerelle du haut, paraît Tit-Mine qui se promène lentement. Il attend Marguerite, parfois il regarde l'heure à sa montre. Visage totalement indifférent. Avec les femmes, il fait des affaires. Point.*

BERTHA. – T'es déjà prête ?

MARGUERITE. – Oui, m'man. *(Elle ouvre son sac et y laisse tomber son peigne.)* Ça me fait de quoi de te laisser toute seule, mais fallait que ça se produise un jour ou l'autre.

BERTHA. – Quand tu m'as annoncé hier que tu partais vivre en chambre, j'ai eu pas mal de peine.

MARGUERITE, *au bord des larmes*. – Je recommence à travailler demain!… Ma chambre est située tout près du bureau, ça va être commode.

BERTHA. – Ma fille Marguerite secrétaire! Jamais j'aurais cru ça.

MARGUERITE. – Tu trouves que je suis pas assez intelligente?

BERTHA. – J'ai toujours pensé que ça prenait de l'instruction pour devenir secrétaire.

MARGUERITE – Mon nouveau patron m'a dit que j'apprendrais vite… Et puis le salaire va être bon. Meilleur qu'à l'avionnerie.

BERTHA. – Je te blâme pas d'en profiter, du moment que tu continues de mener une bonne vie.

MARGUERITE. – Penses-tu que je pourrais devenir une fille de mauvaises mœurs?

BERTHA, *qui ment*. – Pas une miette, voyons!

MARGUERITE. – J'ai besoin de tout mon courage, m'man.

BERTHA. – Si c'est une chance qui s'offre à toi, ma p'tite fille, manque-la pas! Ton bonheur c'est toi qui le fais. Moi, si ma vie était à recommencer, j'y penserais deux fois… Ma vie… Je suis encore bonne d'appeler ça une vie. J'aurais jamais dû me remarier. Je l'ai fait parce que je voulais pas être obligée de laver des planchers d'un bord à l'autre de la ville; je l'ai fait pour être capable de vous faire vivre, Armand et toi… J'ai accroché le premier veuf qui m'est tombé sur la main et puis vas-y donc!… Il m'a rien donné. À part Fleurette, rien… Pour les enfants, sont toujours là. Pour sortir leur femme, les habiller comme du monde, tu peux attendre, tu peux courir ton mille... Tu vieillis, t'engraisses, les enfants t'insultent dans la rue, mais t'as pas les moyens de te défendre... Même si tu voulais te défendre, tu sais d'avance que c'est inutile. T'es pas plus qu'un chien, tu vis comme un chien et puis tu meurs comme un chien. Je te le dis, Marguerite, laisse-toi pas prendre comme moi.

MARGUERITE. – T'as pas besoin d'avoir peur, je suis « précautionneuse ».

BERTHA. – Si t'as l'idée de te marier un jour, penses-y comme il faut. Marie pas un propre-à-rien... Un garçon comme Tit-Mine, ça c'est un monsieur. Toujours bien habillé, toujours poli quand on le rencontre. Il va aller loin aussi.

MARGUERITE. – Je vais te laisser, m'man. *(Elle l'embrasse. Bertha se lève et tourne le bouton de la radio.)* Je vais partir avant que les autres arrivent.

BERTHA. – Qu'est-ce que c'est le nom de la compagnie où tu vas travailler ?

MARGUERITE. – Le nom te dira rien, c'est pas encore connu.

BERTHA. – Tu me laisses pas ta nouvelle adresse ?

MARGUERITE, *qui va ramasser sa valise.* – Je te la donnerai un autre jour.

BERTHA. – Si j'avais ton âge, Marguerite, je ferais comme toi, moi aussi. Je ferais n'importe quoi pour pas continuer à vivre avec la famille Latour.

MARGUERITE. – C'est rien que Joseph que je pouvais plus endurer.

BERTHA. – Lui, son chien est pas mal mort. Ça fait plus que deux mois qu'on le fait vivre, c'est assez.

> *Marguerite s'éloigne vers la porte. Tit-Mine*
> *quitte la passerelle et disparaît.*

BERTHA. – Marguerite !

MARGUERITE. – Qu'est-ce que tu me veux encore ? Laisse-moi donc m'en aller que ça finisse.

BERTHA. – Je veux seulement te demander si tu vas me rendre une p'tite visite de temps en temps ?

MARGUERITE. – Oui, m'man... Je viendrai des fois... Et puis je t'apporterai des cadeaux... *(Klaxon d'une voiture dans le voisinage.)* Faut que je parte, m'man.

> *Elle sort suivie de Bertha qui la reconduit*
> *jusqu'à l'extérieur.*

MARGUERITE. – Bonjour, m'man.

> *Marguerite s'éloigne et disparaît. Portière*
> *d'auto qui se ferme et moteur qui démarre.*
> *Paraît Armand, intrigué, regardant en direc-*
> *tion de la voiture qui s'éloigne.*

ARMAND. – Comment ça va, m'man ?

BERTHA. – Bonsoir Armand ! *(Elle éprouve de la difficulté à contenir son chagrin.)* T'as passé une bonne journée ?

ARMAND. – Non. *(Il entre dans la maison suivi de Bertha.)* J'avais des clients importants à rencontrer, mais j'ai raté mon coup. *(Il enlève son veston, ouvre sa serviette, y prend des papiers et s'assoit à la table pour travailler.)* Qu'est-ce que tu veux ? Quand on se fait réveiller au beau milieu de la nuit par deux ivrognes comme

Émile et Joseph qui viennent se planter juste devant la maison pour gueuler leurs chansons malpropres, on manque légèrement d'entrain au travail le lendemain.

BERTHA. – J'ai demandé à Édouard de se lever pour les faire taire. Y a seulement pas bougé.

ARMAND. –. Maintenant que Joseph a retrouvé son ami Émile, on va en entendre des belles! Ça va être pire que jamais!

BERTHA. – Marguerite est partie... Elle avait le cœur gros.

ARMAND. – Je l'ai vue passer dans l'auto de Tit-Mine. J'espère que c'est vrai son histoire de secrétaire.

BERTHA. – Marguerite est pas menteuse, voyons!... Si tu partais à ton tour, je sais pas ce que je deviendrais toute seule.

ARMAND. – Je partirai pas, m'man, je vais rester avec toi. J'aime pas les filles d'abord, puis je saurais pas comment me débrouiller si je vivais tout seul... Seulement, j'ai pris une décision aujourd'hui! Ou bien Joseph se trouve un emploi et paye sa pension comme Fleurette et moi, ou bien on s'arrange pour que son père le jette dehors.

BERTHA. – Je suis de ton côté, Armand; depuis son retour, j'attends rien que ça.

ARMAND. – On a été trop bon pour lui. Va falloir qu'il apprenne à nous remettre ça. J'en ai assez de travailler comme un nègre pour nourrir un paresseux de son espèce.

BERTHA. – Attends que son père arrive, je vais lui parler comme je lui ai jamais parlé.

ARMAND. – Tu me laisseras faire, m'man. Toi, il t'écoute plus. Tandis que moi, je connais les arguments qu'il faut employer pour le réveiller.

BERTHA. – Comme tu voudras, Armand.

Et Bertha s'allume une cigarette alors qu'Armand se met au travail. Paraît Édouard du côté gauche de la rue. Il marche lentement. Il a l'air soucieux et il a vieilli quelque peu. Il entre dans la maison. Il enlève son veston qu'il suspend à un clou puis relève ses manches de chemise tout en se dirigeant vers la cuisine. Il n'a pas dit « bonsoir » à sa femme ni à Armand qui l'observent depuis son entrée.

ARMAND. – T'es pas venu avec ton camion, ce soir ? Je t'ai pas entendu l'entrer dans la cour.

ÉDOUARD, *distrait, met un temps avant de répondre.* – Non… Ils me l'ont pas laissé… Ils l'ont gardé pour l'inspecter.

Et il entre dans la cuisine pour se laver les mains. Armand et Bertha ne comprennent pas trop son attitude.

ARMAND, *à Bertha.* – Il a l'air drôle.

BERTHA. – C'est son air de tous les jours depuis quelques semaines. Il parle pas. Il pense à autre chose. On dirait qu'on n'existe plus pour lui.

ARMAND. – Le problème de Joseph doit le tracasser autant que nous autres, mais il est trop orgueilleux pour l'avouer…

Paraît Fleurette qui revient de son travail. Elle s'attarde quelque peu à jouer à la marelle dans la rue puis rentre dans la maison.

FLEURETTE. – B'soir, m'man, Joseph est pas ici?

BERTHA. – Non. L'après-midi, il traîne dans les tavernes jusqu'au soir. Le soir il se déménage dans les « grills » et puis les maisons de chambres. La vie de pacha quoi! Et puis tu devrais le savoir, ça fait assez longtemps que ça dure.

ARMAND. – Sans compter que tu l'encourages à mener cette vie-là en lui prêtant de l'argent.

BERTHA. – Qu'il te remettra jamais.

FLEURETTE. – Il m'a promis qu'il me le remettrait.

ARMAND. – Comment veux-tu qu'il te le remette ma pauvre p'tite fille? Il travaille pas, il gagne rien.

FLEURETTE. – Je le sais pas moi, je lui fais confiance, c'est tout!

> *Et elle disparaît en direction de sa chambre alors qu'Édouard sort de la cuisine, tenant une bouteille de bière capuchonnée d'un verre dans une main. De l'autre main il ramasse le journal qu'Armand a déposé sur la table, s'assoit, se verse à boire et commence à lire.*

ÉDOUARD, *les yeux dans son journal, avec autorité mais sans hausser la voix.* – Bertha! C'est l'heure de préparer le souper!

BERTHA, *qui bondit sur ses jambes.* – Avant de préparer le souper, on a des problèmes de famille à régler.

ÉDOUARD. – On les réglera après le souper.

BERTHA. – On a décidé, Armand et moi, que c'était tout de suite.

ÉDOUARD, *en colère.* – C'est Armand qui est le maître dans la maison! Depuis quand?

BERTHA. – Ça devrait être lui puisque t'es pas capable de prendre tes responsabilités.

ÉDOUARD. – Mes responsabilités, je les prendrai le moment venu.

ARMAND. – Justement, le père, le moment est venu.

BERTHA. – Marguerite vient de partir de la maison. Peut-être qu'elle serait restée si t'avais réglé le cas de Joseph plus vite.

ÉDOUARD. – Mêle pas les cartes, Bertha. Si Marguerite a sacré le camp c'est parce qu'elle le voulait. Tu sais aussi bien que moi qu'elle se plaisait pas avec nous autres. Même avant que Joseph soit démobilisé.

BERTHA. – Elle serait peut-être restée plus longtemps.

ÉDOUARD. – Peut-être, mais je veux pas le savoir. Qu'elle aille son chemin toute seule maintenant.

ARMAND. – On va laisser Marguerite de côté, le père. Le vrai problème est là quand même. Le vrai problème c'est Joseph.

ÉDOUARD, *se lève, sombre et pesant bien ses mots*. – Le problème de Joseph, je vais le régler ce soir. Il va se trouver du travail ou bien je le mets dehors. Je vais l'attendre jusqu'à demain matin s'il le faut. Tant qu'il sera pas rentré !... Jusque-là, je veux pas en entendre parler !

> *Armand et Bertha le regardent bouche bée tandis qu'il sort respirer l'air sur le perron. L'éclairage diminue lentement dans la maison et dans la rue et on entend une voix de femme qui chante une sorte de mélopée presque sourde d'angoisse.*

À ceux qui cherchent des châteaux
À ceux qui aiment trop la vie
À ceux qui rêvent de bateaux
À ceux qui cherchent le paradis
À ceux qui traînent sur la terre
Leurs pieds blessés par les épines
À ceux qui courent des chimères
Dans les rues mortes de la ville
Je dis qu'un jour leurs yeux d'étoiles
Ne verront plus les grandes îles
À jamais couvertes de voiles
Et qu'ils se fermeront dociles
Sur un avenir sans lendemain
Sur un amour où tout est vain

SCÈNE VIII

Le même jour, vers neuf heures du soir. Même décor. Bertha et Fleurette sont assises dehors. Bertha dans la chaise à berceaux et Fleurette sur les marches du perron. Édouard, lui, lit son journal dans le living-room. Mais l'éclairage, pour le moment, porte surtout sur les deux femmes. Bruits de la ville au loin. Son grêle d'une cloche d'église.

FLEURETTE. – Pourquoi que tu me forces à rester ici, m'man ?

BERTHA. – J'en ai perdue une aujourd'hui, c'est assez.

FLEURETTE. – C'est pas de ma faute si Marguerite a laissé la maison.

BERTHA. – Je dis pas ça non plus.

FLEURETTE. – Si c'est pas de ma faute, laisse-moi libre d'aller où je veux.

BERTHA. – T'es pas capable de rester avec moi un peu?

FLEURETTE. – J'avais promis à Fred que j'irais aux vues avec lui.

BERTHA. – Un voyou, je suppose? La première chose qu'on sait avec les filles d'aujourd'hui, c'est… c'est… *(Elle n'ose pas le dire, elle ne sait pas comment.)* En tout cas! Je me comprends.

FLEURETTE. – Fred m'attend, m'man.

BERTHA. – Laisse-le attendre. T'iras aux vues un autre soir. J'ai bien attendu, moi! J'ai attendu toute ma vie.

FLEURETTE. – Qu'est-ce que t'as ce soir?

BERTHA, *pour elle-même.* – Toutes les femmes ont besoin d'être heureuses. Si ça leur prend un peu d'argent, ça se trouve. Y a toujours moyen. C'est ce qu'elle a compris, Marguerite.

FLEURETTE. – Oui, m'man, je vais rester avec toi. Mais cesse de dire des choses que je comprends pas.

BERTHA, *gauchement.* – L'aimes-tu ta mère?

FLEURETTE. – J'aime ma mère, j'aime mon père, j'aime le curé, j'aime le bon Dieu, j'aime la famille, J'aime tout le monde; tu le sais bien!

BERTHA. – Mais ta mère, l'aimes-tu? *(La brusquant.)* Réponds! Réponds!

FLEURETTE. – Pas si fort, toute la rue nous regarde.

BERTHA. – Puis après! Réponds à ma question.

FLEURETTE. – Certain que je t'aime, certain que je t'aime!… Pourquoi que je t'aimerais pas?… *(Rire de Joseph en coulisse.)* Tiens! V'là Joseph! Il va me raconter des histoires.

BERTHA, *qui hausse les épaules.* – Des histoires de fainéant! Des histoires sales de bon-à-rien.

JOSEPH, *paraît dans la rue. Il parle en direction de la coulisse à quelqu'un d'invisible.* – Comment ça va, Henri?

VOIX D'HENRI. – Ça marche.

JOSEPH, *s'est arrêté pour continuer son dialogue.* – Toujours pompier?

VOIX D'HENRI. – Ouais.

JOSEPH. – Continue. Tu vas finir en haut de l'échelle… *(Et il laisse entendre son grand rire qui se répercute dans toute la rue. À Fleurette.)* Bonsoir mon ange, tu prends le frais?

FLEURETTE. – Je respire l'air du trottoir, comme ça je peux pas commettre de péchés.

Bertha la rabroue.

JOSEPH. – À l'ombre de ta mère, t'es correcte. Tu coures pas de danger.

FLEURETTE *se lève pour le suivre dans la maison.* – Je suis contente que t'arrives de bonne heure, on va pouvoir faire nos comptes.

BERTHA. – Non. Reste ici, toi. Édouard veut être tout seul avec lui.

JOSEPH. – On m'a organisé une p'tite réception?

BERTHA. – Rentre, tu vas le savoir.

JOSEPH, *à Fleurette.* – On réglera nos comptes quand le père m'aura parlé.

Il entre. Fleurette se rassoit avec regret.

BERTHA. – Reste avec moi, un peu, tu vas voir quelle sorte de vie je mène, moi.

FLEURETTE. – Correct, m'man, correct.

Pendant que l'éclairage baisse sur les deux femmes, la lumière du living-room s'intensifie. Joseph a eu le temps d'entrer. Il a vu son père et il se tient bien droit devant lui. Édouard lève les yeux au-dessus de son journal et regarde Joseph bien en face. Il laisse tomber le journal par terre et se lève.

JOSEPH. – Paraît que tu veux me parler?... La grosse Bertha vient de me dire ça.

ÉDOUARD. – Sois respectueux pour ta mère!

JOSEPH. – Ma belle-mère!

ÉDOUARD. – Je sais que t'as jamais voulu l'accepter!... Oui, je veux te parler, assieds-toi.

JOSEPH. – Dans l'armée, on restait debout quand un officier nous engueulait.

ÉDOUARD. – Je suis pas un officier, puis t'es plus dans l'armée.

JOSEPH. – Je vais rester debout quand même!

ÉDOUARD. – Okay, continue de faire à ta tête! Mais t'en as plus pour longtemps à me braver.

JOSEPH. – Je te brave pas, le père, je...

ÉDOUARD *le coupe.* – Oui, tu braves! C'est ce que t'as fait toute ta vie: braver tout le monde. Mais ça va finir ce soir, tu me comprends?

JOSEPH. – Pas nécessaire de me parler si fort, je suis pas sourd.

ÉDOUARD. – Je te donne à choisir: tu te trouves un emploi demain, sans ça tu remets plus les pieds dans la maison.

JOSEPH. – T'es comme moi, t'es un gars direct. Mais tu devrais savoir, le père, qu'un gars comme moi ça prend plus que des mots pour le faire avancer... La dernière année que je suis allé à l'école, y ont tout essayé pour me faire obéir. Les sermons, la courroie, les coups de règle sur les jointures! Y ont pas réussi. Ils voulaient me forcer à apprendre mais moi, je voulais plus apprendre.

ÉDOUARD. – T'es plus à l'école non plus. Si tu veux rester avec nous autres, tu vas être obligé de prendre les moyens. Tout le monde en a assez de travailler comme des forçats pour nourrir un fainéant de ton espèce, rien que bon à faire un fou de lui dans les grills et les tavernes. Aujourd'hui, Marguerite est partie de la maison pour aller se loger ailleurs et puis ça c'est un peu de ta faute!

JOSEPH *rit cyniquement.* – Tu les as crus, le père?

ÉDOUARD. – Ris-moi pas au visage quand je te parle sérieusement!

JOSEPH. – Ça doit faire pas mal de temps que la mère et Armand te montent contre moi, t'es rouge comme une tomate.

ÉDOUARD. – Laisse la mère et Armand tranquilles. J'ai pas besoin d'eux autres pour prendre mes responsabilités.

JOSEPH. – Okay, le père, okay. Je me fatigue vite des discussions, moi... Quelle sorte d'emploi tu veux que je me trouve? Dans quoi tu penses que je suis capable de travailler?

ÉDOUARD, *qui s'apaise.* – Assieds-toi on va en parler tranquillement.

JOSEPH. – Perds pas de temps, par exemple! J'ai jamais aimé les sermons.

Il s'assoit sur une chaise de façon à appuyer ses avant-bras sur le dossier. Le père s'assoit aussi.

ÉDOUARD. – C'est pas moi qui vais te trouver du travail, je suis pas capable. C'est à toi de t'ouvrir les yeux. Regarde autour un peu. Tu vas t'apercevoir que la guerre a apporté de la prospérité au pays. De l'argent, des bons emplois, y en a comme y en a jamais eus! Armand s'est placé correct, Marguerite aussi. Tous les deux ont pas tellement plus d'instruction que toi. Faut que tu te dépêches de prendre ta part par exemple, ça durera pas longtemps comme ça. On peut se réveiller un bon matin en pleine crise, comme en dix-neuf cent trente! Moi, ça me surprendrait pas une miette!

JOSEPH. – Tu m'as pas dit dans quoi tu voulais que je travaille!

ÉDOUARD. – Le commerce, Joseph, le commerce! C'est ce qu'il y a de plus solide. Regarde toutes les nouvelles business qui s'ouvrent en ville. Essaie-toi dans la vente ou bien lance-toi dans les affaires.

JOSEPH. – Quelles affaires?

ÉDOUARD, *qui s'impatiente.* – N'importe quelles! C'est à toi de choisir.

JOSEPH. – Moi, je suis comme toi, le père... J'ai pas la bosse des affaires. Je suis bon rien qu'avec mes mains.

ÉDOUARD, *la gorge serrée.* – T'es en retard. Des mains, ça sert de moins en moins. Les grosses compagnies les remplacent par des machines.

JOSEPH. – Mais toi, le père, t'as ta situation, t'as ton camion, t'es correct! Un camion, ça prend des mains pour le conduire. Tu gagnes un salaire raisonnable aussi !

ÉDOUARD. – C'est à voir, Joseph.

JOSEPH. – Essaie pas de me faire croire que la guerre t'a pas profité comme aux autres !

ÉDOUARD. – Y en a qui sont moins chanceux... Des p'tits salariés, il va toujours en rester. C'est pour ça que je voudrais que tu te lances et que tu réussisses.

JOSEPH, *qui se lève.* – Mais, ouvre-toi donc les yeux, toi aussi ! Je sais rien faire, j'ai jamais rien appris ! La business, les chiffres, le commerce, je connais rien là-dedans. Tout ce que j'ai, je te le répète, c'est mes deux mains. Rien que ça, le père, pas d'autres choses... Tu veux que je travaille ? Parfait ! Tu veux que je gagne mon pain ? T'as raison ! Mais demande-moi pas de faire ce que je suis pas capable !...

ÉDOUARD. – T'aurais rien qu'à vouloir, pourtant, rien qu'à vouloir !

JOSEPH. – Écoute ! J'ai une idée, le père... Es-tu encore tout seul sur ton camion ?

ÉDOUARD *hésite, puis.* – Oui.

JOSEPH : T'as besoin de quelqu'un pour t'aider. Tu leur dis que t'as besoin de quelqu'un pour t'aider et puis tu me prends avec toi... Ça, je pourrais l'accepter en attendant.

ÉDOUARD. – En attendant quoi ?

JOSEPH. – Je sais pas ! En attendant n'importe quoi !... Je partirais avec toi et puis on aurait du plaisir ensemble... Quand tu serais fatigué, tu me passerais le volant et puis c'est moi qui conduirais.

> *Édouard le regarde, vaincu, essaie de parler mais en est incapable.*

JOSEPH. – Réponds! Dis quelque chose!

ÉDOUARD. – C'est pas possible, Joseph.

JOSEPH. – As-tu honte de moi? Hein? As-tu honte de moi?

ÉDOUARD. – Non, Joseph. C'est pas ça.

JOSEPH. – Pourquoi que tu veux pas, d'abord? Pourquoi que tu leur en parles pas aux gars de la compagnie?

ÉDOUARD, *acculé au pied du mur, se lève*. – Parce que!... Parce que depuis aujourd'hui, je l'ai plus mon camion.

JOSEPH. – Quoi?

ÉDOUARD. – J'ai passé un examen médical, la semaine dernière. Ce matin, j'ai eu le résultat... Ils m'ont dit que j'avais plus le cœur assez bon.

JOSEPH. – Sont fous!

ÉDOUARD. – Demain matin, je me présente à l'expédition.

JOSEPH. – Une promotion?

Édouard le regarde et ne répond pas.

JOSEPH. – Ils t'ont pas donné de promotion?

ÉDOUARD *fait « non » de la tête*. – ... À partir de demain matin, je colle des étiquettes sur la marchandise à expédier.

JOSEPH. – Tu leur as pas cassé la gueule, le père? Tu leur as pas cassé la gueule?

ÉDOUARD. – Tu l'aurais fait, toi?

JOSEPH. – Tu peux être sûr que je les aurais démolis!

ÉDOUARD. – T'approches pas la soixantaine.

JOSEPH. – Voyons, le père! T'es solide comme une montagne! *(Il lui applique une solide droite sur l'épaule. Le père bouge pas.)* Tu vois? Tu vois? Et puis ils t'ont enlevé ton camion les maudits cochons! Ils t'ont enlevé ton camion? Tout ce qu'ils ont réussi à faire de toi en trente ans, c'est un colleur d'étiquettes? Rien de plus? Une fois que tu leur as donné tes meilleures années?

ÉDOUARD. – Je m'en sacre! Du moment qu'ils m'ont pas jeté dehors, je suis content... Prends les choses comme moi, Joseph. Essaie de te soumettre un peu. T'as pas la tête à Papineau, c'est correct, mais tu peux faire quelque chose... Enlève ton *battle-dress*, ça fait des mois que tu traînes avec ça... Enlève ta vareuse, remonte tes manches de chemise, fais quelque chose!... Toi, t'es jeune, ta vie commence... moi, je la recommencerai plus jamais.

> *C'est au tour de Joseph de le regarder et de ne pas répondre.*

ÉDOUARD, *qui attend désespérément une réponse.* – Joseph!... *(Presque suppliant.)* J'attends ta réponse, Joseph! Faut que tu choisisses!

JOSEPH, *sec.* – Je verrai.

> *Et d'un pas énergique, il va s'enfermer dans sa chambre. À demi-vaincu, Édouard piétine pitoyablement sur place, puis s'assoit lentement dans un fauteuil comme un homme qui vient de vieillir de cinq ans. L'éclairage diminue dans la pièce pour s'intensifier dans la rue. Les deux femmes sont toujours là. Bertha est aux aguets, penchée du côté de la porte comme quelqu'un qui écoute. Elle se redresse soudain.*

BERTHA. – On n'entend plus rien. *(Elle se lève.)* Édouard a dû manquer son coup. Y a rien à faire avec un fou semblable.

> *Et elle entre dans la maison. Fleurette reste seule sur le perron.*

BERTHA, *déjà rendue près d'Édouard dans le living-room.* – Tu l'as décidé?

> *Édouard la regarde et ne répond pas.*

BERTHA. – Réponds-moi quand je te parle! Je te demande si tu l'as décidé?

ÉDOUARD. – Je sais pas, Bertha, je sais pas.

BERTHA. – Tu nous avais promis avant le souper.

ÉDOUARD. – Je vous avais promis, c'est vrai, mais dans le moment je sais plus trop où on s'en va tout le monde ensemble.

> *La porte de chambre des garçons s'ouvre et Joseph paraît vêtu d'un veston sport, sa vareuse de soldat à la main. Il regarde Édouard et Bertha en silence, traverse le living-room et va suspendre sa vareuse kaki à un clou. Puis il se tourne vers son père.*

JOSEPH. – Pour toi, je vais essayer, le père… Je vais aller voir Tit-Mine. Paraît qu'y a besoin de quelqu'un pour vendre des chars usagés.

> *Et il sort, laissant Bertha à sa surprise et Édouard à son émotion. L'éclairage se porte*

surtout sur la porte de sortie. Fleurette se lève comme Joseph paraît. Il lui caresse les cheveux de la main et s'éloigne dans la rue.

FLEURETTE, *l'appelant.* – Joseph!... Joseph!...

Et nous avons ainsi trois personnages debout, postés à différents endroits du décor, qui regardent ensemble dans la même direction. Pendant que les lumières s'éteignent sur les personnages qui sont restés en scène, on entend une voix d'homme qui chante.

Ne croyez pas que c'est facile
De dire adieu à son enfance
Et de choisir la vie tranquille
De ceux qui croient aux convenances

Mais chacun doit un jour se dire
Que si c'était beau de rêver
Il faut aussi cesser de rire
Adieu printemps, passe l'été

SCÈNE IX

Un mois plus tard, l'après-midi. Des enfants reviennent de l'école et passent dans la rue. Ils s'arrêtent devant la maison des Latour pour jouer à la marelle. Une petite fille danse à la corde. Un train passe et on entend la voix d'homme qui continue de chanter.

Adieu printemps, passe l'été
Car il faut travailler pour vivre

Et c'est l'automne après l'été
Quand l'amour meurt, les homm's s'enivrent

Et c'est l'automne après l'été
Chacun son petit coin du monde
Va à l'école, va travailler
Adieu l'amour, adieu ma blonde

> *Les enfants sortent en courant et riant. La mère Brochu qui entrait risque de se faire renverser. On entend les enfants qui crient: « Enlève-toi du chemin, mémère Trente-Sous. »*

BROCHU. – Sainte mère du ciel, j'espère que ces enfants seront damnés un jour.

> *Puis elle continue sa route dans la rue pour arriver face à face avec Bertha.*

BERTHA. – Bonjour bonjour, mère Brochu.
BROCHU. – Bonjour Bertha.
BERTHA. – Beau temps pour se promener!
BROCHU. – J'ai pas remarqué, j'arrive de l'église!
BERTHA. – C'est pas péché de lever la tête au ciel.
BROCHU, *qui regarde rapidement le ciel.* – Il va pleuvoir cette nuit.
BERTHA. – Un vrai oiseau de malheur!
BROCHU. – Et puis votre demi-Joseph? Il a fini par se caser?
BERTHA. – Il était temps! Il vivait au crochet de tout le monde. Mais depuis un mois, il s'est complètement transformé. Je touche du bois tous les jours.

BROCHU. – Faudrait le convaincre d'aller à la messe le dimanche maintenant! Il peut pas continuer à vivre en mécréant comme ça.

BERTHA. – Du moment qu'il travaille comme les autres, j'en demande pas plus. Édouard non plus.

BROCHU. – Vous vous préoccupez pas plus que ça du salut de son âme?

BERTHA. – J'ai assez de la mienne à m'occuper.

BROCHU. – Vous, c'est pas pareil, vous êtes certaine d'être sauvée.

BERTHA. – Merci bien.

BROCHU. – Je vais quand même continuer de prier pour vous, pour toute votre famille et puis pour la conversion de Joseph.

BERTHA. – Si la paroisse vous avait pas, c'est comme rien, on se retrouverait tout le monde chez le diable!

BROCHU. – Après mes chats, c'est mon prochain qui m'inquiète le plus. Bonjour Bertha.

BERTHA. – Bonjour, mère Brochu.

La mère Brochu s'est éloignée. Bertha s'en va vers sa maison.

BERTHA. – Je me demande bien quand est-ce qu'elle va crever celle-là.

Les lumières s'éteignent. Musique de « grill » dans le noir.

SCÈNE X

Le soir du même jour. Quand la lumière revient nous sommes dans le « grill ». Joseph

*est assis, seul à une table, et boit. Dans un
coin plus sombre, un couple d'amoureux
anonymes. Joseph porte toujours son veston
sport et une cravate. Pour respirer plus à
l'aise, il l'a dénouée quelque peu. Il boit plutôt tristement et s'amuse à faire des ronds
avec son verre sur la table quand il le dépose
et le relève. Entre Émile affublé d'un costume
de conducteur de tramway. Il s'assoit face à
Joseph qui le regarde dégoûté.*

ÉMILE. – J'ai pas eu le temps de me changer,
Chrysostôme! J'ai été obligé de faire du temps supplémentaire.

JOSEPH. – T'as l'air fin, habillé comme ça! T'es-
tu rendu jusqu'au terminus toujours?

ÉMILE. – J'ai failli dérailler trois fois mais je me
suis rendu… *(Au garçon qui vient de paraître.)* Deux
«Black». Pas trop froides! Fait pas chaud dehors.

JOSEPH, *au garçon, pour préciser.* – Sur la tablette!

*Le garçon acquiesce et sort. Émile enlève son
casque et le dépose sur la table.*

JOSEPH. – C'est bien pour dire comment c'est
fait! Toi, sur les p'tits chars: «dépliez vos correspon-
dances, avancez en arrière» et puis moi dans les
«bazous»: «Un char de même, monsieur, qui a juste
soixante mille milles de faits, c'est bon pour la vie…»
C'est là qu'on est rendu, Émile.

*Le garçon reparaît, apportant les deux bou-
teilles. Il les dépose sur la table et sort.*

JOSEPH. – Des fois, je me dis qu'on n'est pas fait pour rester en place, nous autres. Qu'on a besoin de bouger... Je te garantis, moi, que je moisirai pas long-temps à vendre des chars de seconde main.

ÉMILE. – Je te comprends.

JOSEPH. – C'est juste si je convaincs pas les clients qu'ils sont brûlés. La plupart des « bazous » que j'ai à leur offrir sont plus serviables ; les moteurs sont com-plètement finis. Tit-Mine, lui, y en profite. Il sait que les autos sont encore rares... Moi, j'appelle ça du vol, du vrai vol. Mais je suis mal pris, faut que je vende si je veux être payé !

ÉMILE. – Aussitôt que je vais pouvoir m'ouvrir une business payante, je vais lâcher la Montreal Tram-way.

JOSEPH. – Trouve-la ta maudite business, trouve-la !

ÉMILE. – Donne-moi une chance, Chrysostôme !... Du temps de la guerre...

JOSEPH. – Du temps de la guerre, toi puis moi on était correct, on était à notre affaire... Mais ça m'a l'air que c'est fini pour vrai, ce temps-là... Je laisse-rais Tit-Mine n'importe quel jour de la semaine pour m'embarquer avec toi si tu trouvais quelque chose. Tit-Mine, plus ça va, moins je suis capable de le voir. Ça fait rien qu'un mois que je travaille pour lui, mais on dirait que ça fait un an. Des fois, je le regarde et j'ai seulement envie d'y fesser dedans.

ÉMILE. – Retiens-toi, Joseph ! C'est un gars dange-reux. T'es aussi bien de l'avoir avec toi que contre toi.

Le couple d'amoureux s'est levé pour sortir. Joseph suit la fille des yeux jusqu'à ce qu'elle disparaisse.

JOSEPH. – Si je pouvais tomber en amour, ça me tranquilliserait peut-être! Mais, me vois-tu en père de famille? *(Il éclate de rire presque désespérément.)* Me vois-tu, Émile?

ÉMILE. – Ça pourrait t'arriver. Tu sais jamais quand est-ce que tu vas te faire accrocher.

JOSEPH. – Ah non! Pas moi, pas moi! Je suis pas encore mûr pour ça!... Je suis mûr pour sacrer mon camp de Montréal, Émile! Ouais!... Pourquoi qu'on va pas se faire de l'argent dans les mines quelque part?

ÉMILE. – Quelles mines?

JOSEPH. – N'importe quelles! C'est le mois de septembre! Y a pas de meilleur temps pour se mettre sur le chemin le pouce en l'air.

ÉMILE. – Continue pas, Joseph! La Montreal Tramway va perdre un joueur demain matin!

> *Entre Tit-Mine en compagnie de Dolorès. Ils vont s'asseoir à une table vide, ne faisant aucun cas de Joseph. Ce dernier et son ami Émile les ont suivis des yeux jusqu'à ce qu'ils s'assoient.*

JOSEPH. – Tu pourrais regarder le monde, Tit-Mine!

TIT-MINE *tourne la tête lentement vers Joseph. D'une voix sans timbre.* – Salut!

> *Le garçon entre et s'approche de la table de Tit-Mine. Il s'enquiert de ce que Tit-Mine et Dolorès veulent boire.*

JOSEPH, *pendant ce temps.* – La reconnais-tu?

ÉMILE. – Me semble que oui.

JOSEPH. – Dolorès. Une fille que je suis sorti avec. Le soir que je t'ai revu, Émile!

ÉMILE. – Je m'en souviens, je m'en souviens!

JOSEPH. – Pour moi Tit-Mine doit lui chanter la pomme. Une autre qui va lui donner un pourcentage! Je te gagerais n'importe quoi que ça va finir comme ça.

Le garçon de table sort.

JOSEPH, *fort.* – Raconte-lui des histoires de guerre, Tit-Mine, Dolorès aime ça.

TIT-MINE, *méprisant.* – Bois dans ton verre, Latour. On n'a jamais gardé les cochons ensemble.

Joseph va bondir mais Émile le retient aussitôt.

ÉMILE. – Fais pas le fou, Joseph! T'es bien mieux de rester tranquille.

Entre le garçon qui vient servir Tit-Mine et Dolorès.

JOSEPH. – Des gars comme lui, j'en prendrais dix en même temps.

ÉMILE. – C'est ton patron, Joseph.

JOSEPH. – Ça le sera pas longtemps.

Le garçon sort. Joseph se lève.

ÉMILE, *qui veut le retenir mais trop tard.* – Joseph!

JOSEPH, *qui s'approche de la table de Tit-Mine.* – Tu travailles tout le temps, toi, Tit-Mine, t'arrêtes pas!... *(À Dolorès.)* Tu pourrais me dire bonsoir, beauté... *(Elle ne lui répond même pas.)* T'es pas contente de me voir?

TIT-MINE. – Va t'asseoir, Latour. Tu nous déranges.

JOSEPH. – Quand ma journée de travail est finie, je reçois même pas d'ordres de mon père. *(À Dolorès.)* Sais-tu que t'embellis, Dolorès? *(Il lui prend le menton.)* Tu te peintures un peu plus, ça doit être pour ça. *(Elle lui enlève brusquement la main.)* T'es devenue farouche!

TIT-MINE. – D'habitude, je répète pas deux fois la même chose, Joseph.

JOSEPH. – On est des connaissances, Tit-Mine, on peut se parler. Tout d'un coup que la p'tite saurait pas au juste ce que tu lui veux, je pourrais lui expliquer.

ÉMILE, *qui se lève.* – Viens t'asseoir, Joseph. Viens finir ton verre.

TIT-MINE. – À ta place, j'écouterais les conseils d'Émile. Ce qu'il dit est plein de bon sens. Si tu l'écoutes pas, tu vas te réveiller demain matin sans travail devant toi.

JOSEPH *lui éclate de rire au visage.* – Et puis qu'est-ce que tu veux que ça me fasse, Tit-Mine? Je disais justement à Émile, y a pas deux minutes, que j'étais écœuré de travailler pour un maudit voleur comme toi.

TIT-MINE, *qui se lève, comme éjecté de son siège.* – Fais attention à ce que tu dis, Latour.

JOSEPH, *très simplement, sans changer de ton.* – C'est pas vrai que t'es un maudit voleur?

TIT-MINE. – Retire ça tout de suite!

JOSEPH. – C'est pas dans mes habitudes de retirer ce que je dis.

TIT-MINE. – Quand t'es venu à moi, un soir, t'étais rien qu'un « tout-nu », rien qu'un voyou. Souviens-toi donc de ça.

JOSEPH, *qui le saisit au collet mais ne hausse pas la voix.* – Un « tout-nu » c'est vrai, un voyou, c'est vrai, mais pas un maudit voleur. *(Le secoue violemment tout à coup.)* Je suis écœuré de ta business, Tit-Mine, ça m'intéresse plus de gagner ma vie à travailler pour un écœurant comme toi. *(Et il le repousse loin de lui. Tit-Mine reprend son équilibre juste au moment où il va s'écraser parmi les chaises. Joseph se tourne alors vers Dolorès.)* Si tu laisses pas ce gars-là tout de suite, tu sais ce qui va t'arriver, beauté ? *(Elle se lève et ne l'écoute pas. Joseph est furieux.)* Je vais te le dire, moi ! *(Elle s'éloigne.)* Tu veux pas le savoir ? *(Elle sort.)* Écoute-moi, Dolorès, écoute-moi !...

TIT-MINE, *avant de sortir, après avoir resserré le nœud de sa cravate.* – On se retrouvera, Latour.

Et il sort.

JOSEPH, *qui se retourne vers Émile.* – Tu vois, Émile ? Tu vois ? Tu vois ? C'est réglé !

ÉMILE. – T'aurais pas dû te le mettre à dos, Joseph, t'aurais pas dû.

JOSEPH. – Il te reste juste à débarquer des « p'tits chars ». Après, le pays est à nous autres. C'est grand le Canada, tu peux pas savoir comme c'est grand !

Il boit son verre de bière d'un trait.

JOSEPH. – Et puis faut pas attendre. Une fois que c'est là... *(Il indique sa tête.)* Faut pas attendre, ça donne rien.

> *Émile penche la tête. On sent que pour lui la décision est plus difficile à prendre. Joseph quitte le « grill » après avoir déposé son verre sur la table. Émile s'aperçoit soudainement qu'il est seul et se lève pour sortir. Il revient sur ses pas pour prendre sa casquette qu'il oubliait sur la table. Il va s'éloigner de nouveau, mais se ravise, regarde attentivement sa casquette et décide de la lancer avec dédain dans un coin du « grill ». Et il sort vraiment. Une voix d'homme chante.*

À ceux qui cherchent des châteaux
À ceux qui rêvent de bateaux
À ceux qui courent des chimères
À ceux qui traînent sur la terre
Leurs pieds blessés par les épines
À ceux qui vont de ville en ville
Cherchant une femme à aimer
Cherchant un corsage à froisser
Je dis qu'un jour leurs yeux d'étoiles
Seront cousus comme des voiles
Car la vie voyez-vous mes amis
N'aura jamais rien d'autre à leur offrir
Que les cordes brisées d'une guitare éteinte
Que le souffle rompu d'une dernière étreinte

SCÈNE XI

Le lendemain matin chez les Latour. Il est entre sept et huit heures. Dehors, c'est un jour gris, un jour morne. Édouard sort de la cuisine pour passer au living-room; il n'est pas d'excellente humeur.

ÉDOUARD. – Je déjeunerai un autre jour!

Il va décrocher son veston et sa casquette suspendus à un clou puis se prépare à sortir. Bertha paraît sous l'arche qui sépare la cuisine du living-room. Elle non plus n'est pas d'excellente humeur.

BERTHA. – T'oublies ton lunch!

ÉDOUARD revient sur ses pas et prend le petit paquet de sandwiches enveloppés dans un sac de papier brun que Bertha lui tend. – Merci.

Il va s'en retourner mais Bertha l'interpelle de nouveau.

BERTHA. – Édouard!

ÉDOUARD. – Qu'est-ce que tu me veux?

BERTHA. – Y est encore rentré aux p'tites heures du matin!

ÉDOUARD. – Je le sais, il m'a réveillé.

ARMAND, *qui vient de passer de la cuisine au living-room. Il va prendre son veston et son manteau de pluie suspendus à un clou.* – Il s'imagine peut-être qu'on n'a pas besoin de sommeil! J'ai jamais vu un gars faire tant de bruit quand il rentre!

ÉDOUARD, *violemment.* – Cessez de me parler de lui, j'en ai par-dessus la tête. Vous vouliez qu'il travaille, il s'est casé du mieux qu'il a pu. Maintenant...

BERTHA, *qui le coupe.* – Maintenant, il va apprendre que la maison est pas un hôtel.

FLEURETTE, *sur le seuil de la cuisine, une tasse de café à la main.* – Le café est prêt, papa. Prends-en une tasse avant de partir.

ÉDOUARD. – J'en veux pas. C'était à vous autres de le préparer plus vite.

FLEURETTE. – Partir l'estomac creux, c'est pas bon.

ÉDOUARD. – C'est pas une raison pour être en retard au travail.

> *Il va se retourner et partir mais se ravise, voyant paraître Joseph dans sa porte de chambre, vêtu comme aux mauvais jours, de sa vareuse de soldat et d'une vieille chemise. Il porte un sac très lourd sur son épaule. Tous les regards se tournent vers lui.*

JOSEPH, *qui s'immobilise dans le milieu de la place et dépose son sac par terre.* – Qu'est-ce que vous avez à me regarder comme ça?

FLEURETTE, *qui dépose la tasse de café sur un coin de la table.* – On n'a rien, Joseph. D'habitude, tu t'habilles autrement pour aller travailler.

JOSEPH. – Ah! C'est parce que j'ai pas mon déguisement de vendeur de «bazous»? Je gage que vous avez pas encore compris! *(Il prend la tasse de café que Fleurette a déposée sur la table. Il en boit une gorgée. À Bertha.)* Vas-y, la grosse, dis ce que tu penses. D'habitude, t'es bonne dans les devinettes.

ARMAND. – Parle pas comme ça, à m'man, toi!

JOSEPH. – C'est pas ma mère!

FLEURETTE. – C'est la mienne, Joseph.

JOSEPH. – Ça paraît pas... Toi, le père, tu dis rien? T'as pas une p'tite idée?

Édouard le regarde et ne répond pas.

FLEURETTE. – T'as fait une folie, Joseph?

JOSEPH. – Non, pas une folie. Une bonne affaire.

FLEURETTE. – Tu travailles plus, Joseph?

JOSEPH. – C'est ça, la p'tite! Toi, au moins, t'as pas peur de la vérité... J'ai laissé mon emploi parce que j'en avais plein le casque. Parce que je voulais faire fâcher Bertha puis Armand... Regarde-les changer de visage. Sont plus capables de dire un mot.

Et il éclate de rire. Armand, excédé, sort de la maison tandis que Bertha, incapable de parler, hors d'elle-même, s'enferme dans sa chambre. Joseph regarde son père en souriant.

JOSEPH. – Je vais t'expliquer une chose, le père, tu vas me comprendre...

ÉDOUARD, *d'une voix basse et contenue.* – T'as rien à m'expliquer. Et puis ce que j'avais à comprendre, je l'ai compris depuis longtemps.

Édouard lui tourne le dos et sort à son tour devant le sourire figé de Joseph.

JOSEPH. – C'est ce qu'on appelle : vider une maison ! Tu t'en vas pas toi aussi ?

FLEURETTE. – Pourquoi que t'as fait ça, Joseph ?

JOSEPH. – J'étais écœuré, c'est tout ! Vendre des « bazous » c'est pas une vie !

FLEURETTE. – C'était pas nécessaire d'être méchant ! Penses-tu te trouver une autre place ?

JOSEPH. – Peut-être…, quelque part… Il doit y en avoir une qui serait pour moi. *(Il se lève.)* Tu penseras à moi de temps en temps, je pars avec Émile.

FLEURETTE. – De Montréal ?

JOSEPH. – Ouais.

Il ramasse son sac de bagage et s'éloigne vers la porte de sortie.

FLEURETTE. – Aujourd'hui ?

JOSEPH. – Ouais. On a décidé ça, hier soir.

FLEURETTE. – Dis-moi « bonjour » avant de t'en aller !

JOSEPH *la regarde de la porte.* – Bonjour, la p'tite… Tu diras au père qu'y aura plus à m'endurer… Les autres, laisse-les faire, dis-leur pas un maudit mot ! Y en valent pas la peine.

Il sort.

FLEURETTE, *qui se précipite.* – Tu m'enverras des cartes… *(Joseph a fermé la porte.)* postales… *(pour elle-même, au bord des larmes.)* … en couleur…

Elle reste là, sans bouger, devant la porte fermée tandis qu'une voix d'homme chante.

Adieu printemps passe l'été
Car il faut travailler pour vivre
Et c'est l'automne après l'été
Quand l'amour meurt les hommes s'enivrent

Et c'est l'automne après l'été
Chacun son petit coin du monde
Va à l'école va travailler
Adieu l'amour adieu ma blonde

Fin du deuxième acte

TROISIÈME ACTE

SCÈNE XII

*Même décor qu'à la fin de l'acte précédent,
mais trois ans et demi plus tard. C'est un soir
de printemps vers la fin du mois d'avril 1949.
Il est environ neuf heures. La rue est déserte.
Un chien solitaire aboie quelque part. Bertha
est seule à la maison. La mère Brochu passe
rapidement et sort. Sans trop d'enthousiasme,
Bertha aligne des cartes devant elle pour
tromper sa solitude. Bertha est une femme
qui s'ennuie et qui n'arrive pas facilement à
sortir de son ennui et elle est très paresseuse.
Deux amoureux entrent et vont s'appuyer
contre un mur de brique. Ils ne se parlent
pas. Le garçon écrit quelque chose sur le mur
et la jeune fille immobile le regarde faire. Une
fois qu'il a écrit, il presse la jeune fille contre
lui puis lui prend la main et l'entraîne. Ils
sortent. Sur le mur on peut lire : « AU BOUT
DU MONDE ». Paraît Armand dans la rue,
sa serviette d'agent d'assurances au bout du
bras et les traits fatigués. Avant d'entrer à la
maison, il s'essuie les pieds sur les marches
du perron. Bertha le voit paraître dans le*

vestibule et se trouve aussitôt soulagée.
Depuis l'ouverture du rideau on entend une
voix qui chante.

Allons promener nos douleurs
Mon amour dans la rue sans nom
La vie est morne et sans couleur
Et sans espoir dans la rue sans nom

Le guitariste est mort mon cœur
Avant de s'être fait un nom
Personn' ne saura si tu pleures
Et nul ne saura dir' mon nom

Viens mon amour où le bonheur
Ne peut s'apprendre par son nom
À chaque soir arrive l'heure
Ou mêm' l'amour n'a plus de nom

La radio joue des airs moqueurs
Dans la rue qui n'a pas de nom
Les gens se fich'nt de nos malheurs
Et ne connaiss'nt mêm' pas ton nom

ARMAND *enlève son imperméable et le suspend.*
— Bonsoir, m'man.

Bertha le regarde sans répondre. Armand
s'approche de la table avec sa serviette.

BERTHA, *mine de rien.* — Tu rentres tard,
aujourd'hui !
ARMAND. — J'ai travaillé.

BERTHA. – Il passe neuf heures… D'habitude, tu viens souper au moins.

ARMAND. – J'ai pas eu le temps! J'ai pas arrêté une minute de la journée.

Armand ouvre sa serviette et y prend des papiers qu'il étale sur la table.

BERTHA. – Au lieu de me faire des cachettes, tu serais aussi bien de me dire son nom.

ARMAND. – Le nom de qui, m'man?

BERTHA. – Si t'as rencontré une fille, t'as pas besoin d'avoir peur, je vais comprendre.

ARMAND. – J'ai pas rencontré de filles.

BERTHA, *empressée.* – Certain?

ARMAND, *impatient.* – Certain!

BERTHA, *maternelle, fébrile, trop heureuse presque.* – As-tu faim? Veux-tu manger quelque chose?

ARMAND, *qui s'assoit.* – Non, plus tard. Avant de me coucher, peut-être. Mais là, il me reste des chiffres à vérifier, un rapport à compléter. Je mange pas avec cœur quand j'ai pas fini mon travail.

BERTHA. – Comme tu voudras, Armand.

Il se met au travail mais s'arrête aussitôt.

ARMAND. – Qui c'est qui t'a mis dans la tête que j'aurais pu rencontrer une fille?

BERTHA. – Personne. Quand on passe ses soirées toute seule, on pense à bien des choses.

ARMAND. – Si j'avais rencontré quelqu'un, penses-tu que j'aurais eu peur de te le dire?

BERTHA. – Je sais que t'es pas menteur. Et puis t'as pas de comptes à me rendre non plus. Je demandais ça, en passant.

ARMAND. – Je vis pas comme les autres types de mon âge, m'man... En dehors des polices d'assurance, je vaux pas grand-chose... *(les yeux vagues.)* Des fois, je me surprends à penser que Joseph avait une vie plus intéressante que la mienne.

BERTHA. – Tu divagues, Armand ! Toi au moins, t'as un avenir devant toi, c'est ça qui compte.

ARMAND. – Je me sens comme un esclave... Je progresse pas, je tourne en rond.

BERTHA. – C'est parce que t'es fatigué...

ARMAND. – Tu dois avoir raison.

> *Il se remet à la tâche. Quelques secondes de silence puis Armand redresse la tête comme s'il cherchait quelqu'un autour de lui.*

ARMAND. – Le père est pas là ?

BERTHA. – Comme tu vois !

ARMAND. – Il reste plus souvent avec toi.

BERTHA. – Pour ce qu'il trouve à me dire quand il y est !... Y aime mieux aller voir ses amis.

ARMAND. – Qu'est-ce qu'il lui prend d'aller jouer aux dames avec les p'tits vieux de la paroisse ?

BERTHA. – Y aurait dû partir avec son garçon Joseph, y a trois ans, il se serait moins ennuyé de lui.

ARMAND. – Y a vieilli depuis ce temps-là. Y a vieilli ! Pauvre père ! Gaspiller ses dernières années pour un gars qui lui a jamais fait plaisir. Je le comprends pas... Il devrait penser à toi un peu plus, m'man. Parce que toi aussi tu t'ennuies.

BERTHA. – Je m'habitue! Ça fait vingt ans! Quand t'es pas là, Armand, y a pas grand-chose qui me retient ici dedans.

ARMAND, *pas très sûr de ce qu'il avance.* – Le seul remède, c'est encore de se dire qu'on serait pas mieux ailleurs qu'ici.

> *Il continue de travailler avec un peu plus de lassitude. Bertha tourne le bouton de la radio pour se distraire en écoutant de la musique. C'est la musique de carrousel du début qu'on entend. La lumière diminue sur eux pour s'amplifier dans la rue. Paraissent Ronald et Fleurette en haut de la ruelle qu'ils descendent jusqu'à la rue. Ils se tiennent par la main comme des amoureux «en devenir». Fleurette, qui ne veut pas que Ronald aille la reconduire jusqu'à la porte d'entrée de la maison, s'arrête soudainement de marcher et se place devant Ronald, lui bloquant le chemin. Elle a vieilli, évidemment, Fleurette, et elle fait jeune fille. Elle a quand même conservé beaucoup de ses traits d'adolescente. L'enfance aussi chez elle semble ne devoir jamais se flétrir.*

RONALD. – On est déjà chez toi!

FLEURETTE. – On a pourtant marché longtemps!

RONALD. – Mais sans trouver le bout du monde.

FLEURETTE. – Tu m'avais pourtant promis!...

RONALD. – J'ai pas retrouvé la route.

FLEURETTE. – Je pense plutôt que tu m'as fait un mensonge.

RONALD. – Je te jure que je m'y suis déjà rendu une fois.

FLEURETTE. – Je te crois pas. *(Vivement elle l'embrasse.)* Mais ça fait rien. J'aime ça quand même chercher le bout du monde.

Elle va se détacher subitement de lui.

RONALD. – Tu rentres pas tout de suite ?

FLEURETTE. – Oui. Il le faut.

RONALD. – Mais non, pourquoi ?...

FLEURETTE. – Parce qu'il le faut.

RONALD. – Attends ! *(Il essaie de la retenir et de l'embrasser.)*

FLEURETTE, *qui résiste sauvagement.* – C'est tout ce qui t'intéresse quand t'es avec moi ?

RONALD. – Pour moi c'est une façon de te dire que je t'aime. Et puis, si c'était tout ce qui m'intéressait, j'aurais pas cherché pendant quatre ans à te revoir, à mieux te connaître.

FLEURETTE. – Tous les soirs où tu me suivais, tu me faisais peur.

RONALD. – Maintenant aussi ?

FLEURETTE, *un peu chatte et gamine.* – Maintenant, c'est plus tout à fait la même chose.

Il rit, la prend dans ses bras et essaie encore de l'embrasser.

FLEURETTE, *qui résiste fermement sans s'éloigner de lui.* – Avant de t'en aller, répète-moi ce que tu m'as dit tout à l'heure.

RONALD. – Je t'ai dit bien des choses.

FLEURETTE. – Trop. Tout ça peut pas être vrai en même temps... Mais ce que j'ai aimé le plus, c'est ta poésie.

RONALD. – Ah! oui, je me souviens! Mais je vais être obligé de t'avouer une chose par exemple... Je t'ai dit que c'était de moi, mais je mentais.

FLEURETTE. – Ça m'est égal.

RONALD. – Mais même si c'est des vers que j'ai pas écrits j'aurais quand même pu y penser le premier.

FLEURETTE. – Récite-les encore.

RONALD. – Attends!... Ah! oui... « Un cœur à l'autre uni jamais ne se retire. Et pour l'en séparer, il faut qu'on le déchire »... C'est d'un dénommé Corneille!

FLEURETTE. – Je vais tout faire pour essayer de m'en rappeler.

RONALD, *qui s'approche d'elle.* – J'en apprendrai des nouveaux pour la prochaine fois.

Il essaie de l'embrasser encore mais elle lui échappe et s'éloigne de lui.

FLEURETTE. – Demain, téléphone-moi où je travaille! (*Elle fait encore quelques pas et ajoute.*) À l'heure habituelle...

RONALD. – Vas-tu m'aimer un jour?

FLEURETTE *sourit avec un peu de malice.* – Je sais pas.

Elle commence à chantonner et entre chez elle pendant que Ronald disparaît dans la rue. Elle traverse le vestibule et passe au living-room toujours en fredonnant son air

de chanson. Elle est très gaie. Elle se dirige
vers sa chambre mais s'arrête près de Bertha
qui l'interpelle. L'éclairage s'est amplifié
dans le living-room et a diminué dans la rue.
Bertha éteint la radio.

BERTHA. – Qu'est-ce qui te prend de chanter comme ça ?

FLEURETTE. – Rien m'man. Je chante parce que j'en ai envie... *(À Armand.)* Quand tu suivais ton cours commercial, Armand, apprenais-tu la poésie ?

ARMAND. – La poésie ! Qu'est-ce que ça m'aurait donné ? Tu vends pas de l'assurance en récitant des vers.

FLEURETTE. – Si j'étais pas si vieille, je retournerais au couvent.

BERTHA, *soupçonneuse*. – Où c'est que t'as passé la soirée, toi ?

FLEURETTE. – Nulle part. Je me suis promenée. J'ai pensé à toutes sortes de choses... *(Leur tournant le dos.)* « Un cœur à l'autre uni jamais ne se retire »... Bonsoir.

Elle rit et entre dans sa chambre.

ARMAND. – Je trouve qu'elle a les yeux pas mal clairs la p'tite Fleurette ! C'est plus une enfant, hein ! Va falloir la surveiller comme il faut. C'est l'âge où les filles ont rien que des folies en tête.

BERTHA. – Surveille donc ça pour voir, ça reste pas une minute en place.

ARMAND. – La première nouvelle que tu vas apprendre !... Tu me comprends, la mère. Les p'tites secrétaires du bureau sont pareilles. Agaçantes ! J'ai jamais vu ça.

BERTHA. – Je souhaite rien qu'une chose. C'est qu'elle se marie. Et le plus vite possible.

Silence. Bertha se lève.

BERTHA, *les deux poings sur les hanches*. – Bon ! Ma journée est finie. Je vais me coucher, y a rien d'autre à faire.

Elle se dirige vers sa chambre.

ARMAND, *doucement*. – T'as pas eu de nouvelles de Marguerite depuis un p'tit bout de temps ?

BERTHA *s'arrête et le regarde navrée*. – Elle nous oublie. Je sais pas comment ça se fait, elle nous oublie. Les deux premières années, je la voyais au moins une fois par mois. Après, ses visites se sont espacées. Là, ça fait six mois que je l'ai pas vue.

ARMAND. – Elle a souvent changé d'adresse.

BERTHA. – Ça doit être pour ça... J'essaie de ne pas trop y penser. B'soir, Armand.

ARMAND. – B'soir. Dors comme il faut.

> *Et elle entre dans sa chambre. Paraît Édouard au coin de la rue. Il est revêtu d'un misérable manteau de printemps. Lui aussi a vieilli. Ses épaules se sont courbées. Ses pas sont incertains. Il ne marche pas trop droit. Il a dû boire un peu trop en jouant aux dames. Péniblement, il gravit les deux marches du perron puis ouvre la porte. Il entre et paraît*

> dans le living-room. Armand le regarde et
> remarque aussitôt qu'il est légèrement ivre.
> Édouard fait mine de ne pas l'avoir vu et sus-
> pend ses vêtements à un clou. Puis, en essayant
> de marcher bien droit et voulant conserver sa
> dignité, il se dirige vers sa chambre.

ARMAND, *qui l'interpelle.* – Ta femme a encore
passé la soirée toute seule, le père !

> Édouard s'arrête, le regarde à peine puis con-
> tinue son chemin en silence.

ARMAND. – Tu devrais t'efforcer de rester plus
souvent avec elle !

> Édouard s'arrête de nouveau mais ne le
> regarde pas cette fois.

ARMAND. – Et puis c'est pas bon pour ta santé de
boire comme tu le fais. Le docteur te l'a dit que t'avais
plus le cœur assez solide pour prendre un coup.

ÉDOUARD, *doucement.* – C'est pas ça qui va me
tuer, Armand.

> Et il entre dans sa chambre. Armand hausse
> les épaules, se lève, range ses papiers et s'en
> va à la cuisine.

SCÈNE XIII

*Une heure plus tard, le même soir. Quelque
part, dans la nuit, quelqu'un s'acharne sur un*

*piano. Il n'y a plus de lumière chez les Latour.
Paraissent Émile et Joseph dans la rue. Vêtus
pour se protéger du froid et portant leur bagage,
on dirait deux voyageurs qui ont marché pendant dix ans. Joseph fait signe à Émile de s'arrêter pour regarder les environs. En arrière-
plan, la silhouette des édifices a quelque peu
changé. De nouveaux buildings coupent la vue.*

JOSEPH. – Pas de lumière, Émile, rien, tout le
monde est couché ! Si on réveillait Armand et Bertha,
ce serait drôle !

ÉMILE. – T'es mieux de les laisser dormir en paix.
Sont bien, sont au chaud, sont corrects… On devrait
faire la même chose. On pourrait rentrer sans les
réveiller, et puis dormir un peu. Moi, je coucherais
par terre, ça me serait égal.

JOSEPH. – Non. Je rentre pas. J'y remettrai plus
jamais les pieds.

ÉMILE. – C'est ton orgueil qui te fait parler.

JOSEPH. – Peut-être, je m'en sacre… Regarde ! La
rue a pas changé. Tu reviendrais dans cinquante ans
et puis ce serait encore la même chose… Comprends-
tu ce que je veux dire, Émile ?

ÉMILE. – Non.

JOSEPH. – Tu dois avoir du lard dans le cerveau.

ÉMILE, *agressif*. – C'est bien possible. J'ai jamais
prétendu que j'étais un génie.

JOSEPH. – Je vais t'expliquer quelque chose. Si tu
passes toute ta vie à étouffer dans le même p'tit coin,
tu vieillis sans rien apprendre. Et puis un jour tu
t'aperçois que ta peau a pris la même couleur que
celle de la brique. C'est ça que je veux dire.

ÉMILE, *qui s'en fout.* – Je vais essayer de m'en rappeler, Joseph. Mais pour l'instant, j'aimerais me reposer un peu. Dormir comme il faut toute une nuit.

JOSEPH. – Ça donne rien. C'est pas en dormant que tu t'instruis. C'est en voyageant, en bougeant ! Nous autres, si on était resté dans notre coin à pas bouger, sais-tu ce qu'on serait devenu ? Des pauvres caves. On se serait mariés à des enfants de Marie et puis on leur aurait fait des p'tits comme tout le monde. Au lieu de ça, on a vu du pays, on a marché, on a travaillé quand on a voulu, on a connu la misère et puis on s'est battu. Autrement dit, on a appris quelque chose. C'est pour ça qu'il faut pas s'arrêter Émile, c'est pour ça qu'il faut continuer.

> *Il sort, Émile le suit. Entre la mère Brochu qui cherche son chat, une écuelle à la main.*

BROCHU, *cherchant partout.* – Minou ! Minou ! Minou !... viens voir ta p'tite mère, mon minou... Minou ! Minou ! Minou !... J'ai du bon lait, j'ai du bon pain pour toi... Minou ! Minou ! Minou !

> *Joseph et Émile reparaissent derrière elle. Joseph suit la mère Brochu sur la pointe des pieds et fait signe à Émile de se cacher.*

BROCHU. – Ta p'tite mère va te donner du bon pain !... Du bon lait frais !... Minou ! Minou ! Minou !

> *Joseph bondit soudainement devant elle et lève les bras en l'air comme un chat qui va griffer.*

JOSEPH *hurle*. – Miaou!

> *La mère Brochu pousse un grand cri de peur,*
> *échappe son écuelle et se sauve en courant.*
> *Joseph éclate de son grand rire.*

JOSEPH, *se tordant*. – Tu l'as vue? Tu l'as vue, Émile? L'as-tu vue Émile?

ÉMILE. – Je savais pas que tu t'attaquais aux p'tites vieilles! T'aurais pu lui faire avoir une syncope, c'est très brillant!

JOSEPH. – J'avais le goût de rire, Émile. Et puis comme ça tout le monde va savoir qu'on est passé dans le quartier. Mais personne va nous trouver... T'as faim toi?

ÉMILE. – J'ai l'estomac dans les talons...

JOSEPH. – Amène-toi, on va trouver un restaurant.

> *Ils sortent. Le piano se fait entendre encore,*
> *plus lugubre que jamais.*

SCÈNE XIV

> *Le même soir, quelques instants plus tard,*
> *dans un petit restaurant du quartier. L'endroit*
> *est vide. Il n'y a qu'une jeune serveuse qui*
> *essuie les tables. On entend soudain des*
> *coups frappés à la porte. La serveuse sur-*
> *saute.*

SERVEUSE *crie*. – On est fermé!

VOIX D'ÉMILE. – Ça fait rien! On veut manger!

SERVEUSE, *faisant des gestes de bras en direction de la porte.* – Fermé ! Vous reviendrez demain...

VOIX DE JOSEPH. – T'es mieux d'ouvrir, sans ça on défonce !

> *De mauvais gré, elle se dirige vers la porte et ouvre. Paraissent Joseph et Émile. Ils sont pratiquement en guenilles. Mal rasés, cheveux longs, pantalons sales et déchirés. Mais Joseph porte toujours sa même vareuse de soldat.*

SERVEUSE, *les laissant passer devant elle.* – Des revenants !

ÉMILE. – Ouais.

JOSEPH. – On est de passage dans le quartier.

SERVEUSE. – Tout ce que je peux vous servir c'est des sandwiches au jambon.

JOSEPH. – Amène !

ÉMILE. – Avec du café.

> *La serveuse sort pour leur préparer les sandwiches et le café. Émile et Joseph se sont assis à une banquette.*

ÉMILE. – Combien il te reste, toi ?

JOSEPH. – Deux ou trois piastres. Toi ?

ÉMILE. – Une dizaine à peu près.

JOSEPH. – C'est pas pire. On est bon pour souper, prendre de la bière puis une chambre sur la *Main*.

ÉMILE. – Tu trouves ça pas pire ? Douze piastres à deux, aucune perspective d'emploi devant nous autres ?

JOSEPH. – On a déjà été plus mal pris que ça.

ÉMILE. – Moi, je trouve que c'est pas glorieux. Deux gars qui sont partis de Montréal pour se faire de l'argent, puis qui reviennent après trois ans et demi avec douze piastres dans leurs poches!…

JOSEPH. – C'est pour faire de l'argent qu'on est parti? Je m'en souvenais plus.

ÉMILE. – On s'était trouvé quelque chose de pas mal à Hamilton, mais fallait que tu gâtes l'affaire. Je t'avais dit de laisser la fille du *foreman* tranquille, aussi!

JOSEPH. – Je la laissais tranquille, c'est elle qui m'agaçait.

ÉMILE. – T'as le tour de te mettre les pieds dans les plats! Pour ça, t'es le champion.

JOSEPH. – Ah! Puis j'étais écœuré d'Hamilton. Je suis content de voir Montréal en passant.

ÉMILE. – Moi aussi, je suis content, Chrysostôme! Parce que je suis fatigué d'aller de ville en ville, de changer de place continuellement, de toujours me retrouver sans travail. J'ai connu un temps où la vie était plus facile qu'aujourd'hui. Quand je pense à l'aisance que j'avais du temps de la guerre!

JOSEPH. – Reviens-en, Émile? C'est fini depuis des années les coupons de rationnement.

ÉMILE. – Pourquoi qu'on n'a pas été capable de faire autre chose? Pourquoi qu'on n'a pas pu se rattraper?

JOSEPH. – Je le sais pas.

ÉMILE. – On est devenu des *hobos*, des vrais *hobos*. JOSEPH. – Puis après?

ÉMILE. – Moi, je suis pas un *hobo* dans l'âme, tu sauras ça.

JOSEPH. – Okay, c'est correct, cesse de chialer. Des fois, moi aussi j'en avais plein le casque mais je me fermais la gueule.

> *Entre la serveuse. Elle dépose les deux sand-wiches et les deux tasses de café sur la table devant Émile et Joseph.*

SERVEUSE. – C'est vingt cents le sandwich. Avec les deux tasses de café, ça fait soixante.

JOSEPH. – Paye ça, Émile, je vais te le remettre.

ÉMILE. – Si un jour on faisait des p'tits calculs, tu serais surpris de voir tout ce que tu me dois… *(Il tend un dollar à la serveuse.)* Tiens! Garde le reste. Nous autres, quand on sort, c'est pour vrai!

SERVEUSE. – Merci. *(Elle s'éloigne et s'arrête.)* Dépêchez-vous de manger. Ma journée est faite depuis longtemps, moi!

> *Elle sort. Joseph dépose une pièce de mon-naie dans le petit orthophonique de table. Voyant que la musique ne vient pas tout de suite, il donne un coup de poing sur l'appa-reil.*

JOSEPH. – Joue, toi!

> *Et comme par magie, l'orthophonique s'al-lume et la musique se fait entendre immédia-tement.*

JOSEPH. – Avec de la musique, ça digère mieux!

Ils commencent à manger en même temps qu'ils boivent leur café. Ils sont tellement affamés qu'ils avalent tout en quelques bouchées. Puis, Émile se lève et va prendre un journal sur une étagère du restaurant. Il revient s'asseoir pour le lire.

ÉMILE. – C'est demain qu'on commence à être sérieux, Joseph.

JOSEPH. – On a toujours été sérieux, Émile! Je vois pas pourquoi on serait différent demain.

ÉMILE. – Quand je dis qu'on va être sérieux, je veux dire qu'on perdra plus notre temps... On va relever nos manches. L'heure est venue de se lancer dans une business payante et puis de mener une vie comme tout le monde.

JOSEPH. – Si je te connaissais pas, Émile, je me laisserais gagner à te croire.

ÉMILE. – T'es aussi bien de me croire, parce que mon idée est faite.

JOSEPH. – Qu'est-ce qu'ils chantent de bon dans ton journal?

ÉMILE. – Rien. Ils parlent d'une grève à Asbestos.

JOSEPH. – Dans l'amiante?

ÉMILE. – Ouais. Paraît que ça va mal du côté des grévistes. Y ont de la misère avec les *scabs*.

JOSEPH. – On devrait être là, toi puis moi.

ÉMILE. – Pourquoi faire?

JOSEPH. – On pourrait donner un p'tit coup de main aux grévistes! Tu te souviens quand on travaillait dans le charbon en Alberta?

ÉMILE. – On s'était fait sacrer dehors, aussi!

JOSEPH. – On s'en va à Asbestos! Si les Américains nous volent notre amiante, on va leur casser la gueule.

ÉMILE. – Une emmanchure de fou! T'es pas capable de rester en place deux minutes?

JOSEPH. – Moi, j'aime l'action. Et puis c'est quand je sais pas où je m'en vais que je découvre du nouveau sur ma route. Ça me tente d'y aller, Émile, ça me tente bien gros. Si je reste à Montréal, je me connais, la même maudite vie qu'avant va recommencer. Et puis ça, je veux pas.

ÉMILE. – Bois ton café, reste tranquille cinq minutes! Je me remettrai pas sur le bord de la route pour faire du pouce ce soir.

JOSEPH. – On fera pas de pouce, on va se trouver un char. On a rien qu'à passer au terrain de Tit-Mine et en prendre un.

ÉMILE. – Son terrain est fermé à l'heure qu'il est.

JOSEPH. – Je sais comment trouver les clefs. J'y ai travaillé assez longtemps pour le savoir. Si c'est pas changé, on n'aura pas de problèmes.

ÉMILE. – Il va envoyer la police à nos trousses.

JOSEPH. – Avant qu'il s'en aperçoive, on sera rendu à Asbestos. On aura laissé le char sur le bord de la route, Tit-Mine saura jamais que c'est nous deux.

ÉMILE. – Je marche plus dans tes plans de nègre, Joseph!

JOSEPH. – C'est regrettable, Émile, c'est regrettable! T'es pas un mauvais gars pourtant!

ÉMILE. – Si on s'arrête pas ce soir, Joseph, on s'arrêtera jamais.

JOSEPH. – Toi qui as traversé le pays d'un bout à l'autre avec moi! Je te demande de venir te promener à Asbestos et tu refuses?

ÉMILE. – Tu comprendras jamais, Joseph, tu comprendras jamais.

Paraît la serveuse avec son cabaret vide.

SERVEUSE. – Vous avez fini?

JOSEPH. – Ouais. Fini. T'as jamais si bien parlé.

Joseph se lève. La serveuse commence à desservir.

JOSEPH, *qui s'éloigne vers la porte. À la serveuse.* – Si t'as besoin d'un laveur de vaisselle, Émile se cherche un emploi. Bonsoir, beauté!

Et il sort.

ÉMILE, *soudainement seul, se lève vivement.* – Joseph! Attends-moi! Joseph! Attends-moi!

Et il sort à son tour précipitamment. La serveuse hausse les épaules, éteint la petite lampe fixée au mur près de la table et sort aussi. Tout est noir. On n'entend plus qu'une musique sourde et angoissante.

SCÈNE XV

Le lendemain vers sept heures du soir. Édouard est debout devant la fenêtre du living-room; il bourre sa pipe. Armand est assis dans un fauteuil et ne fait rien, sinon qu'il bâille. Silence.

ÉDOUARD, *après avoir allumé sa pipe.* – Des voisines ont dit à Bertha que Joseph avait été vu dans le quartier la nuit passée. Crois-tu ça, toi ?

ARMAND. – On sait jamais. *(Il bâille encore.)* Hier soir, avant de m'endormir, j'ai entendu des types gueuler dans la rue et j'ai cru reconnaître sa voix. J'ai regardé dehors mais j'ai vu personne.

ÉDOUARD. – Je me demande ce qu'il est devenu. Il a dû se trouver une bonne place et se caser. Des gars comme lui quand ça se décide, ôtez-vous du chemin y a rien pour les arrêter.

ARMAND, *qui fronce les sourcils.* – T'as pas cessé de penser à lui, hein, le père ? T'as pas cessé une minute ! Les autres ont beau se dévouer comme des chiens, à côté de toi, c'est encore à lui que tu penses.

Édouard le regarde, va prendre son journal sur la table et se dirige vers la chaise à bascule pour s'asseoir. En même temps, Émile est entré dans la rue et sonne à la porte d'entrée. Il porte un bandage autour de la tête et il boîte. Édouard, qui n'a pas le temps de s'asseoir, décide d'aller ouvrir.

ARMAND. – Ça doit être la mère qui revient de l'église.

ÉDOUARD. – Je pense pas, y est trop de bonne heure.

Il passe dans le vestibule, ouvre la porte et se trouve nez à nez avec Émile. Moment de surprise pour Édouard et de timidité pour Émile.

ÉDOUARD. − Émile ?

ÉMILE. − Bonsoir, monsieur Latour.

ÉDOUARD. − Qu'est-ce que tu fais à Montréal ?

ÉMILE. − Je voudrais vous parler, je vais vous expliquer tout ça.

ÉDOUARD. − Entre si tu veux me parler, reste pas là.

Il ouvre la porte plus grande pour laisser passer Émile. Ce dernier traverse le vestibule et fait quelques pas dans le living-room. Il s'arrête comme il aperçoit Armand, debout, le regard hostile.

ÉMILE. − Salut !

ARMAND, *sec.* − Salut.

ÉDOUARD. − Si tu veux t'asseoir, tire-toi une chaise.

ÉMILE. − Non, j'aime mieux rester debout. Ce que j'ai à vous dire, je vais le dire vite parce que c'est pas tellement plaisant.

ÉDOUARD, *qui s'approche lentement de lui. Soudainement inquiet sans le laisser trop paraître.* − Joseph ?

ÉMILE, *nerveux.* − Laissez-moi commencer par le commencement, Chrysostôme ! Sans ça, j'aurai pas le cœur de me rendre jusqu'au bout.

ÉDOUARD, *sec.* − Parle d'abord ! Si t'es venu pour ça, parle !

ÉMILE. – On revenait à Montréal, on savait pas quoi faire, on a lu dans le journal qu'y avait une grève dans l'amiante à Asbestos puis on a voulu y aller. On s'est rendu dans le lot de Tit-Mine, on a pris un char et puis juste comme on sortait de Montréal, on a frappé un arbre. On a été capable de revenir sans se faire prendre mais Tit-Mine a su par son gardien de nuit que c'était nous autres et il nous fait chanter. Il veut cinq cent piastres pour les dommages plus cinq cents piastres pour son silence. Sans ça, il nous traîne en cour. Il a son témoin et toutes les preuves qu'il faut.

ARMAND. – Je vois pas dans quel intérêt tu viens nous raconter ça.

ÉMILE. – On est cassé tous les deux, ça fait que…

ÉDOUARD, *furieux*. – C'est Joseph qui t'a dit de venir nous voir ?

ÉMILE. – Non… Il sait pas que je suis venu. Il est à l'hôpital avec une jambe cassée…

ÉDOUARD, *ébranlé par cette nouvelle*. – C'est lui qui conduisait ?

ÉMILE. – Oui. De mon côté, j'ai pensé que vous étiez le seul gars qui pouvait lui rendre service.

ÉDOUARD. – Veux-tu me dire ce que vous alliez faire à Asbestos ?

ÉMILE. – Joseph avait le goût de voir ça.

ÉDOUARD. – Voir ça ? Pourquoi ? Joseph est pas un « scab » !

ÉMILE. – Son idée, y a des drôles d'idées des fois, son idée c'était d'aller se battre pour les grévistes contre les « scabs ».

ÉDOUARD. – Se battre contre les… et t'appelles ça des drôles d'idées ? Moi, je dis que c'est des idées de fou !

ARMAND. − Y a pas changé d'un pouce.

ÉMILE, *qui veut le convaincre à tout prix.* − Oui, y a changé. On est passé à travers tout le pays ensemble et puis je sais qu'y a changé! Vous le reconnaîtriez pas!

ÉDOUARD. − Mille piastres! Tu viens me demander mille piastres! À moi, Émile! *(Il le prend par les revers de son veston et le secoue.)* À un pauvre qui a jamais été aidé par personne! Même pas par son propre garçon! T'as le front de venir me demander mille piastres?

ÉMILE. − Pas mille, monsieur Latour, cinq cents… *(Il s'éloigne d'Édouard et replace un peu ses vêtements.)* L'autre cinq cents piastres, je vais le trouver. Je sais pas comment mais je vais me débrouiller. Je me suis déjà débrouillé pour des affaires pires que ça. Dans le temps de la guerre…

ARMAND. − Le père a pas une cenne, tu perds ton temps, Émile.

ÉDOUARD. − Cinq cents piastres pour moi, c'est autant que mille… *(Il se calme.)* Ça me prend au moins deux mois pour gagner ça. Quand je fais du temps supplémentaire… Si ça se trouvait en dessous de la queue d'une chatte, je dis pas!

ÉMILE. − Tit-Mine m'a forcé à signer un papier. Puis je sais qu'il est sérieux. Y a jamais aimé Joseph parce que Joseph l'a déjà humilié. On a trois jours. Si on trouve pas l'argent, il va nous faire jeter en prison.

ÉDOUARD. − Pourquoi qu'il s'embarque dans des affaires semblables? Pourquoi? S'il fallait qu'il aille en prison, ce serait fini. Il pourrait plus jamais se reprendre. Je le connais! Ça fait des années qu'il m'en fait arracher, je peux dire que je le connais. *(Bourru.)* Même si j'ai pas traversé le pays avec lui !

ÉMILE. – En voyage, il me parlait souvent de vous. Si on est parti pour Asbestos, c'est parce qu'il voulait pas rester à Montréal. Y avait pas du tout envie de venir vous embêter.

ARMAND. – Laisse-toi pas gagner, le père !

ÉDOUARD, *qui ne s'occupe pas d'Armand.* – J'aimerais autant qu'il vienne nous embêter que de le savoir mal pris comme ça. Il doit avoir l'air fin avec sa jambe dans le plâtre ! Vas-tu retourner le voir à l'hôpital ?

ÉMILE. – Oui.

ÉDOUARD. – Si on le sort au plus vite de l'hôpital, ça va peut-être coûter moins cher.

ARMAND. – Écoute, le père ! Si tu permets à Joseph de revenir une autre fois…

ÉDOUARD, *qui n'entend pas Armand.* – Arrange-toi pour le ramener à la maison demain.

ARMAND. – Jamais ! Jamais ça se fera !

ÉDOUARD, *hors de lui.* – Je suis encore le maître chez moi. Si t'es pas content, va vivre ailleurs !

ARMAND. – Tu penses pas à ce que tu fais, le père ! Arrête-toi ! Arrête-toi juste une seconde pour y penser. Tu sais autant que moi que ça donne rien de l'aider.

ÉDOUARD, *à Émile.* – Moi non plus, je sais pas comment je vais m'arranger, Émile, mais je vais m'arranger.

ÉMILE. – Je peux vous donner la main, monsieur Latour ?

ÉDOUARD, *bourru, lui serre la main.* – On est dans le même pétrin, toi et moi.

ÉMILE, *ému.* – Merci.

> *Il lui tourne le dos et il sort. Pendant quelques secondes, Édouard et Armand ne bougent pas. C'est Armand qui le premier rompt cette immobilité et ce silence.*

ARMAND. – Là, le père, tu viens de commettre une erreur.

ÉDOUARD. – Ça se peut.

ARMAND. – T'aurais peut-être pu attendre m'man pour savoir ce qu'elle en pense au moins. *(Silence du père.)* Il va avoir la jambe dans le plâtre, c'est elle qui va l'endurer pendant quarante jours! *(Silence du père.)* Parle! Dis quelque chose! Es-tu devenu fou?

ÉDOUARD, *étrange et doux.* – C'est sa dernière chance...

ARMAND. – C'est ton garçon, t'as raison de vouloir l'aider! Mais nous autres? As-tu déjà pensé à nous autres? Jamais. On n'est rien pour toi. De la poussière! Des microbes! Tu ferais pas pour nous autres le dixième de ce que tu fais pour lui.

ÉDOUARD. – Vous autres, vous avez pas besoin de moi; lui, c'est sa dernière chance; je vais essayer de l'aider une dernière fois, Armand.

ARMAND. – Je le savais! Je le savais qu'il nous reviendrait un jour avec un paquet de troubles. On a eu trois ans et demi de paix, c'était trop beau.

ÉDOUARD. – Je vais parler à Bertha, je vais lui faire comprendre. J'ai toujours été capable de prendre mes responsabilités, Armand.

ARMAND. – Mais l'argent? Tu l'as pas l'argent! Cinq cent piastres, ça se trouve pas comme rien.

ÉDOUARD. – Y a la Caisse Populaire.

ARMAND. – Je te vois venir, le père. Parce que je suis caissier-suppléant le vendredi soir, tu te dis que je vais te recommander.

ÉDOUARD. – J'ai été honnête toute ma vie. J'ai jamais eu de dettes. Ils vont me prêter.

ARMAND. – Sur quelles garanties ? T'as pas de maison. T'as rien à toi.

ÉDOUARD. – J'ai mon salaire. Si je paye pas, ils pourront le saisir.

ARMAND. – C'est pas suffisant. Ils vont te demander au moins un endosseur.

ÉDOUARD *le regarde droit dans les yeux.* – Toi, Armand.

ARMAND. – Qu'est-ce que tu dis, le père ?

ÉDOUARD. – Je vais te demander de m'endosser.

ARMAND. – Pour tirer Joseph du trou, pour le sortir de la vase, moi, je vais t'endosser ?

ÉDOUARD. – Si c'est moi qui te le demande ? Si c'est pour moi que tu le fais ? J'ai toujours été juste avec toi.

ARMAND. – C'est pas une question de justice ! C'est une question de bien d'autres choses. C'est une question de risque, d'abord, et puis...

ÉDOUARD. – T'as confiance en moi, tu sais que je suis honnête.

ARMAND. – Si tu meurs avant d'avoir fini de payer !

ÉDOUARD. – J'ai une assurance-groupe avec la Compagnie.

ARMAND. – Ça veut rien dire. C'est juste assez pour payer ton enterrement

ÉDOUARD. – Je te le demande une dernière fois, Armand ! Veux-tu m'endosser ?

ARMAND, *n'osant répondre « non » et vaincu à la fois, hésite et ne sait plus comment s'en sortir.* – Dis-moi... dis-moi pourquoi tu fais ça ? Donne-moi une bonne raison, seulement une bonne raison !

ÉDOUARD. – Je te l'ai donnée. J'en ai pas d'autres.

ARMAND. – Et je vais passer pour une poire après ? Je vais passer pour un mou aux yeux de tout le monde ? T'as pas l'air de te rendre compte de ce que tu me demandes, le père. On dirait que pour toi c'est une chose facile. Mais je veux que tu sois réaliste un peu. Tu l'as pas tellement été avec nous autres. La vie c'est pas un jeu de cartes ni un jeu de mots. Un homme c'est pas une marionnette au bout d'une ficelle. C'est pas ça, le père, j'en ai sué un coup pour l'apprendre moi ! J'ai réussi, c'est correct, mais parce que j'ai travaillé. Je me suis jamais permis de flâner comme ton garçon Joseph, j'ai jamais gaspillé mon argent à boire ou à sortir avec les filles de rues. J'ai appris ce que c'était et par le chemin le plus difficile.

ÉDOUARD. – Je sais tout ça, Armand, je sais tout ça.

ARMAND. – Penses-tu que c'est gai de vendre des polices d'assurance de porte en porte ? De gaspiller sa vie pour convaincre les gens qu'ils vont mourir un jour ?

ÉDOUARD. – Moi, je colle des étiquettes sur des colis à journée longue et je dis pas un mot. J'aurai pas eu plus de plaisir que toi à vivre, Armand.

ARMAND. – Pourquoi que tu me pousses au pied du mur comme ça ?

ÉDOUARD. – Je t'ai jamais demandé de faveur. Ce soir je t'en demande une.

ARMAND. – Je suis pas un faible, le père, tu profiteras pas de moi aussi facilement.

ÉDOUARD. – Veux-tu, Armand ?

ARMAND. – Qu'est-ce qu'il a de plus que moi, Joseph, pour que t'en prennes soin tant que ça ?

ÉDOUARD. – Rien, Armand !

ARMAND. – Oui, y a quelque chose. Y a quelque chose que j'ai pas, certain ! Parce que tu m'as jamais considéré, tu m'as jamais aimé comme tu l'as aimé.

ÉDOUARD. – Tu t'imagines ça, Armand !

ARMAND. – J'ai jamais rien représenté de valable dans la vie ?... Réponds-moi, réponds-moi !

ÉDOUARD. – J'ai essayé de m'attacher autant aux autres qu'à lui.

ARMAND. – Pas vrai ! C'est lui qui a tout pris, c'est lui qui a tout eu ; j'aurais mérité de recevoir autant d'attention que lui. Je l'aurais mérité plus que lui. Quand t'as marié ma mère j'étais pas tellement plus vieux que Joseph et j'avais besoin d'avoir un père moi aussi.

ÉDOUARD. – J'ai été ton père !

ARMAND. – Pas comme il aurait fallu. Et quand tu dis que t'as toujours été juste avec moi, faut s'entendre sur les mots. Je t'ai jamais apporté de tracas, je t'ai jamais embêté, j'ai toujours été un bon garçon. En retour, je me suis toujours attendu à un peu de considération de ta part. J'en ai jamais reçu. Pourquoi, le père ? Pourquoi ?... Y a quelque chose que t'aimes pas en moi ? Dis ce que c'est ?

ÉDOUARD. – Le problème est pas là, Armand, le problème...

ARMAND, *qui le coupe.* – C'est Joseph, je le sais. C'est toujours lui... Quand il est question de lui, les problèmes des autres comptent plus. Zéro... C'est ma face que t'aimes pas, le père ? C'est ça hein ? T'es pas le seul. Les femmes non plus l'aiment pas. Et moi non plus, des fois.

ÉDOUARD, *gêné devant Armand qui est près de pleurer.* – Si tu refuses de m'endosser, Armand, je sais vraiment pas comment je vais me débrouiller. Dans le moment, c'est moi qui te demande quelque chose.

ARMAND. – Tu le sais bien que tu vas me faire plier. Tu le sais bien. Je vais t'endosser le père, mais en retour je vais te faire promettre une chose.

ÉDOUARD. – Je peux pas te promettre beaucoup. J'ai rien à moi.

ARMAND. – Tu vas me promettre d'avoir un peu plus de reconnaissance pour moi à l'avenir. Je suis un homme et j'ai besoin que tu le saches. J'ai besoin que tu me respectes. C'est pas beaucoup te demander en regard du service que je te rends.

ÉDOUARD. – Je te promets... Je te promets, Armand.

ARMAND. – Demain, demain je t'endosserai. Et puis tu la feras ta bêtise !

Il s'enferme dans sa chambre dégoûté et vaincu.

ÉDOUARD, *seul.* – Merci...

Et très rapidement les lumières s'éteignent. Et dans le noir, on entend des voix de jeunes filles qui chantent le Regina Coeli.

SCÈNE XVI

Trente jours plus tard. Vers la fin du mois de mai. Les cloches de l'église paroissiale appellent les fidèles au mois de Marie. La mère Brochu, suivie d'enfants et de jeunes filles, se dirige dévotement vers l'église. Joseph, assis dans la chaise à bascule est seul dans le living-room. Un tabouret sert d'appui à sa jambe dans le plâtre. Ses béquilles sont à portée de ses mains. Ronald paraît dans la rue. Il s'avance jusqu'au perron, gravit les deux marches et sonne. Joseph se lève aussitôt et fait quelques pas sans l'aide de ses béquilles.

JOSEPH *crie*. – Entrez!

Ronald entre timidement dans la maison.

JOSEPH. – Qu'est-ce que tu veux, toi?
RONALD, *sur le seuil du living-room.* – Je viens chercher mademoiselle Latour.
JOSEPH. – Laquelle? La grande ou la petite? Si c'est la grande, t'es en retard de quatre ans.
RONALD. – Je parle de mademoiselle Fleurette.
JOSEPH. – Je le sais bien, voyons! Y a plus rien qu'elle de fille dans la maison. Tu t'appelles Ronald?
RONALD. – Oui. C'est moi, monsieur.
JOSEPH. – Reste pas là, viens t'asseoir.
RONALD. – Merci.
JOSEPH. – C'est gratuit.

*Il pénètre plus avant dans le living-room et
s'assoit timidement. Fleurette entrebâille sa
porte de chambre et montre la tête.*

FLEURETTE. − Je suis prête dans une minute,
Ronald... Joseph ! Occupe-toi de lui en attendant.

JOSEPH. − Compte sur moi, mon ange. *(Fleurette
ferme sa porte de chambre.)* T'es chanceux de sortir
avec une belle fille comme elle.

RONALD. − Certain !...

Et il rit. Par timidité.

JOSEPH. − T'as quel âge, toi ?

RONALD. − Dix-neuf ans, monsieur.

JOSEPH. − Poli à part ça, un garçon poli !...
(Changeant de ton.) Si tu m'appelles « monsieur »
encore une fois, je te mets mon pied au cul. Mon nom
c'est Joseph. Correct, là ?

RONALD. − Je vais essayer de vous appeler Joseph.

JOSEPH. − Ma p'tite sœur m'a dit que t'étais dans
les sciences ?

RONALD. − Oui. Je vais au Mont Saint-Louis.
Dans deux ans j'aurai fini mon cours.

JOSEPH. − Et puis après, qu'est-ce que tu vas
faire ?

RONALD. − Je sais pas encore.

JOSEPH. − Pourquoi que tu suis un cours scienti-
fique si tu le sais pas ?

RONALD. − C'est mon père qui a décidé pour
moi. Il disait que l'avenir était aux sciences.

JOSEPH. − Ça doit être un gars brillant ton père,
y a dû être impressionné par la bombe atomique.

Ronald rit une autre fois.

JOSEPH. – Tu ris ? Tu trouves ça drôle, la bombe atomique ?

RONALD, *intimidé.* – Non.

JOSEPH. – Quand la guerre a fini, tu devais avoir dans les quinze ans, toi ?

RONALD. – À peu près.

JOSEPH. – C'est une affaire qui a pas dû t'inquiéter tellement ?

RONALD. – J'y pensais jamais. Mon père, lui, suivait ça... Y avait des intérêts dans une compagnie qui fabriquait des munitions.

JOSEPH. – Il devait pas avoir hâte que ça finisse ?

RONALD. – Non certain.

JOSEPH. – Peut-être que si ses munitions lui avaient sauté en pleine gueule, peut-être qu'il aurait changé d'idée.

Ronald rit encore.

JOSEPH. – Ça aussi, tu trouves ça drôle ? C'est plaisant de parler avec toi, sais-tu ?

Paraît Fleurette, vêtue de sa plus jolie robe.

JOSEPH. – T'es prête, mon cœur ?

RONALD, *qui se lève vivement.* – On va partir, faut pas être en retard au cinéma.

JOSEPH, *qui ne s'est pas assis une seule fois, malgré sa jambe.* – T'es bien pressé toi ! Viens ici, une minute... Approche, aie pas peur... (Il l'attrape par les revers de son veston.) J'ai rien qu'une chose à te dire : fais attention à ma p'tite sœur, okay ? C'est pas une « bébelle » !

RONALD. – J'y fais attention.

FLEURETTE, *à Joseph*. – Laisse-le donc tranquille, espèce de grand fou !... Viens-t'en Ronald, écoute-le plus !

JOSEPH, *à Ronald*. – Bonne veillée, le mousse ! *(À Fleurette.)* Amuse-toi bien, la p'tite !

Ils sont dans le vestibule.

JOSEPH. – Faites pas ce que je ferais ! *(Et il éclate de rire.)*

> *Ils sortent de la maison et disparaissent dans la rue par la gauche. Joseph va chercher ses béquilles et le journal pour sortir de la maison à son tour. Il s'assoit avec difficulté sur les marches du perron, posant ses béquilles et son journal près de lui. Il s'allume une cigarette, puis reprend le journal et le déploie pour le lire. Survient Émile affublé d'un costume de vendeur d'essence. Voyant que Joseph est préoccupé par sa lecture, il s'en approche très lentement pour le surprendre.*

ÉMILE *crie soudain, en anglais, comme dans l'armée*. – Atten - tion !

> *Joseph, comme par un réflexe qu'il n'a pas oublié, sort brusquement la tête de son journal et redresse la poitrine. Émile éclate de rire.*

ÉMILE. – Dis-moi pas que t'as décidé de t'instruire!

JOSEPH. – Je regarde seulement les images... T'en vas-tu dans un carnaval? Qu'est-ce que tu fais habillé comme ça?

ÉMILE. – Je fais du chemin, Chrysostôme! J'ai pas la patte dans le plâtre.

JOSEPH. – Tu vends du gaz?

ÉMILE. – Ouais. Gérant d'une station, Boulevard Décarie.

JOSEPH. – Dans le grand monde!

ÉMILE. – Dans le grand monde. Mais c'est seulement temporaire.

JOSEPH. – Si tu cherches encore une p'tite business payante, laisse-moi te dire que j'y crois plus une miette.

ÉMILE. – Laisse faire. Tu me connais pas. Je suis patient.

JOSEPH. – T'es devenu un gars ordinaire, Émile, un gars comme tout le monde. Oublie donc le reste. Ça reviendra plus. Tu fais un fou de toi quand tu parles comme ça.

ÉMILE, *qui s'assoit*. – Je vois que t'as pas perdu ton caractère de chien. Je pensais qu'un p'tit repos de trente jours te ferait du bien aux méninges.

JOSEPH. – Trente jours de flânage, c'est trop long, justement!... Je fais casser mon plâtre demain et puis je recommence à travailler dans une semaine.

ÉMILE. – Où?

JOSEPH. – Je sais pas encore. Faut que je paie l'emprunt que le père m'a mis sur le dos.

ÉMILE. – J'ai quelque chose pour toi.

JOSEPH. – Au garage?

ÉMILE. – Ouais.

JOSEPH. – Merci. Je me suis écœuré des garages quand j'étais avec Tit-Mine.

ÉMILE. – Mais là, ce serait pas pareil, t'aurais pas à vendre de chars... On a besoin d'un gars.

JOSEPH. – Sur la pompe à gaz?

ÉMILE. – La pompe, l'huile, les crevaisons.

JOSEPH, *méfiant*. – Ça paye?

ÉMILE. – Je pourrais te promettre que le patron te donnerait au moins quarante-cinq piastres par semaine.

JOSEPH. – Cinquante! Je travaille pas en bas de cinquante!

ÉMILE. – Quand je dis quarante-cinq, je compte pas les heures supplémentaires ni les pourboires.

JOSEPH. – Je veux cinquante de base. La vie coûte cher et les impôts montent, comme dit le père.

ÉMILE. – Je te trouve exigeant, mais ça peut s'arranger. Je pourrai pas t'attendre plus qu'une semaine par exemple! Si tu retardes, le patron va en engager un autre.

JOSEPH. – Dans une semaine, Émile, je vais être là comme un seul homme.

ÉMILE. – Tu vas avoir la patte un peu raide.

JOSEPH. – Je vais me la dérouiller vite, tu vas voir. La dernière fois que j'ai vu le docteur, il m'a dit que j'avais l'os de la jambe en acier. C'est pour ça que je garde mon plâtre dix jours de moins.

ÉMILE. – Même la jambe cassée, t'es pas capable d'être comme tout le monde, Chrysostôme!... *(Se lève.)* Je t'attends dans une semaine.

JOSEPH, *comme Émile va partir*. – Minute!

ÉMILE. – Je suis pressé, Joseph.

JOSEPH. – T'as au moins le temps de laisser ton autographe sur mon plâtre?

ÉMILE. – Pour un ami, je peux faire ça.

> *Il s'assoit de nouveau et prend un crayon dans sa poche.*

JOSEPH. – Vas-y! Avec ton écriture du dimanche.

ÉMILE, *qui regarde le plâtre.* – Sais-tu que je vais être à peu près le seul?

JOSEPH. – Y a de la place en masse. Écris gros si ça te le dit.

ÉMILE, *lisant.* – Fleurette Latour…

JOSEPH. – Y a rien qu'elle qui y a pensé.

ÉMILE. – La tête de mort, là?

JOSEPH. – C'est moi, une fois que je m'ennuyais. Le goût m'a pris de dessiner.

ÉMILE. – C'est dommage, par exemple, une belle signature comme la mienne, tu la conserveras pas longtemps… *(Il signe avec ostentation, se lève et remet le crayon dans sa poche.)* Salut, Joseph! Je repasserai te voir, dans le courant de la semaine, si j'ai le temps.

JOSEPH, *tristement presque.* – Salut!… Cinquante piastres par semaine, c'est mieux que rien.

> *Émile sort. Bruits de la ville au loin. Joseph essaie de se replonger dans le journal mais s'en dégoûte aussitôt. Il le replie et le laisse tomber près de lui. Ce qui restait de jour dans la rue s'en va presque totalement, pendant qu'on entend la voix très pure d'un jeune garçon qui chante un cantique latin de*

*l'office. Un réverbère s'allume. Joseph
reprend ses béquilles et se lève. Comme il va
monter les marches du perron pour entrer, il
s'immobilise pour regarder venir Bertha,
Édouard et Armand qui paraissent dans la
rue. Armand marche près de Bertha et tient
un missel dans sa main. Édouard les suit un
peu en arrière.*

JOSEPH. – V'là la Sainte-Famille! Maudit qu'Armand fait un beau p'tit jésus!

Il s'avance un peu à leur rencontre.

JOSEPH. – Je vais parier, sa mère, que t'as prié
pour ma jambe tout le temps du mois de Marie?
BERTHA, *qui passe sans le regarder.* – J'avais
d'autres choses que ça à penser.
JOSEPH, *qui les suit.* – T'as prié pour Marguerite,
d'abord!
BERTHA *entre dans la maison avec Armand. Sans
tourner la tête.* – Ça te regarde pas pour qui j'ai prié.

*Édouard jette un regard réprobateur à Joseph
et entre à son tour. Joseph reste quelques
secondes dans la rue, appuyé sur ses béquilles.
Dans le living-room, Bertha enlève son chapeau et ses gants et se prépare à entrer dans
sa chambre.*

ARMAND, *qui suspend son veston et qui parle
surtout pour Édouard.* – Après ce qu'on a fait pour
lui, il devrait se montrer moins arrogant.

BERTHA. – Si j'avais été là, ça se serait jamais fait. *(Joseph entre à son tour. Bertha fait volte-face comme elle l'aperçoit.)* Fleurette est pas ici ?

JOSEPH. – Est sortie avec son étudiant. Y est correct le p'tit gars.

BERTHA. – Je sais pas si c'est vrai Armand, mais paraît que sa famille est assez riche.

ARMAND. – C'est son premier cavalier qui a du bon sens.

JOSEPH. – Ça t'intéresse les « cennes » des autres, hein Bertha ? On dirait qu'y a des signes de piastres qui s'allument dans tes yeux quand t'en parles.

BERTHA. – Édouard ! Dis-lui de plus m'insulter comme ça !

JOSEPH. – Et puis t'as hâte de la marier Fleurette, t'as hâte de la voir partir de la maison. Si t'avais pu, c'est une fille que t'aurais jamais eue.

BERTHA. – Je peux plus l'endurer, ça sert à rien, je peux plus l'endurer.

ÉDOUARD, *à Joseph.* – Pense donc un peu au service qu'on t'a rendu.

JOSEPH. – Si vous l'aviez pas fait, le père, j'aurais été en prison, ça aurait paru dans le journal et puis ça vous aurait salis. Les affaires d'Armand s'en seraient ressenties, pas vrai ?

ARMAND. – La reconnaissance ça existe pas pour lui.

JOSEPH. – J'ai pas demandé à revenir ici. C'est vous autres qui m'avez fait sortir de l'hôpital. Si vous êtes pas contents je peux sacrer mon camp. J'ai jamais léché les pieds de personne ! Je suis pas pour commencer ce soir.

ÉDOUARD. – Joseph! Veux-tu me dire ce que t'as au fond de la tête? Veux-tu me dire à quoi tu penses au juste?

BERTHA. – C'est rien qu'une tête croche, rien qu'une tête vide! Sa place est pas ici, sa place est à Saint-Jean-de-Dieu.

> *Et elle s'enferme dans sa chambre en fermant la porte violemment.*

ARMAND. – C'est toujours comme ça que ça retourne avec toi.

JOSEPH. – Je fais pas exprès. À chaque mot que je dis vous vous choquez!

ÉDOUARD. – T'as pas de cœur, d'abord? T'as pas de cœur?

JOSEPH. – Ça doit pas. Y est mort quand j'étais jeune.

ÉDOUARD. – Profites-en mon p'tit gars, profites-en tant que tu peux...

> *Il lui tourne le dos, traverse le vestibule, sort de la maison pour disparaître dans la rue par la gauche.*

ARMAND. – Tu devrais t'apercevoir que t'es en train de le tuer ton père! Tu devrais t'apercevoir au moins de ça!

> *Et Armand s'enferme dans sa chambre. Joseph gagne la chaise à bascule et s'y assoit appuyant sa jambe brisée sur le tabouret. La lumière s'efface totalement dans le living-room*

pour montrer qu'un certain temps de la soi-
rée s'écoule. Dans la rue, c'est l'éclairage du
soir. Entrent Fleurette et Ronald qui se tien-
nent enlacés. Ils s'arrêtent au milieu de la
scène. Ronald lève les yeux au ciel.

RONALD. – As-tu déjà compté les étoiles?

FLEURETTE. – Jamais... *(Elle rit.)* Y en a trop.
Et puis j'aurais trop peur de me mêler dans mes
calculs.

RONALD. – Une fois, j'ai essayé! Rendu à mille
j'étais fatigué.

Ils continuent de marcher jusqu'à la porte
d'entrée où ils s'arrêtent de nouveau. Il la
serre avec tendresse contre lui.

RONALD. – Tu veux pas rentrer tout de suite?

FLEURETTE. – Oui, Ronald. Si t'as un examen à
passer demain matin, t'es mieux d'aller te coucher de
bonne heure.

RONALD, *avec un peu de prétention.* – La chimie
organique, c'est ma matière forte... *(Il approche ses*
lèvres des siennes.) Quand je suis avec toi, j'ai pas
envie de te laisser.

Il l'embrasse. Elle accepte son baiser avec
crainte et amour.

FLEURETTE. – Tu me dis trop de belles paroles.
Après, je pense rien qu'à ça.

RONALD. – Tout ce que je te dis est vrai, Fleurette.

FLEURETTE, *essayant de le quitter.* – On va se laisser le bonsoir. Je veux pas nuire à tes études. Tes examens sont plus importants que moi.

RONALD. – Reste encore un peu, on va se parler.

FLEURETTE. – Une autre fois, Ronald.

RONALD. – En as-tu déjà assez de me voir ?

FLEURETTE. – J'ai peur que ce soit le contraire qui se produise.

RONALD. – Jamais, Fleurette.

FLEURETTE. – J'ai peur que tu te fatigues comme quand t'as compté les étoiles.

RONALD. – Quand est-ce qu'on va se revoir ?

FLEURETTE. – Quand tu voudras…

RONALD, *comme elle pose la main sur la poignée de la porte.* – Non, attends.

> *Il l'attire gauchement à lui et l'embrasse à nouveau.*

RONALD. – La prochaine fois on ira encore au cinéma.

FLEURETTE. – Oui, Ronald. J'aime tout ce que tu aimes.

> *Elle ouvre la porte et entre. Ronald prend un mouchoir dans sa poche et s'essuie les lèvres. Puis il sort par la gauche. Fleurette allume une lampe dans le living-room et découvre soudainement Joseph qui est resté assis à la même place où nous l'avons laissé.*

FLEURETTE, *surprise.* – T'es pas couché ?

JOSEPH. – Non. Je m'endors pas… Tu me demandes pas ce que je pense de ton étudiant ?

FLEURETTE. – Tu dois pas l'aimer, hein ?

JOSEPH. – J'ai pas dit ça… toi, l'aimes-tu ?

FLEURETTE. – Joseph, qu'est-ce que c'est « la chimie organique » ?

JOSEPH. – Demande pas ça à un ignorant comme moi.

FLEURETTE. – Moi non plus, je le sais pas… Je voudrais comprendre tout ce qu'il me dit. Je voudrais pas qu'il m'aime rien que pour m'embrasser. Je voudrais qu'il m'aime sérieusement. Quand j'étais plus jeune, ça me faisait rien que les garçons m'embrassent… Aujourd'hui, c'est peut-être drôle à dire, on dirait que j'ai changé. J'aimerais que quelqu'un me respecte ! Mais qu'est-ce que je suis pour qu'on me respecte ? Je pense qu'il est trop tard pour vouloir ça, Joseph.

JOSEPH. – Non, y est pas trop tard. Attends que ma jambe guérisse. Je vais travailler, je vais en gagner de l'argent moi aussi. Et puis tu vas laisser la manufacture de boutons, tu vas aller à l'école, c'est moi qui vais payer tes études. Tu choisiras le cours que tu voudras et t'apprendras tout ce que tu sais pas. Tu vas parler aussi bien que Ronald, je te le garantis.

FLEURETTE. – C'est tout de suite, Joseph… tout de suite que je voudrais être instruite !

> *Elle est au bord des larmes. Elle se dirige*
> *rapidement vers sa chambre et s'y enferme.*
> *Joseph prend ses béquilles et se lève. Il regar-*
> *de en direction de la chambre de Fleurette et*
> *se rend compte qu'il ne peut rien pour elle. Il*
> *va à son tour se diriger vers sa chambre, il a*

même le temps d'avancer de quelques pas quand il entend la porte d'entrée s'ouvrir. C'est Édouard qui paraît. Il a un peu bu. Il suspend son veston à un clou et marche en direction de sa chambre.

JOSEPH, *à Édouard qui passe devant lui.* − B'soir p'pa.

Édouard n'en fait aucun cas et entre dans sa chambre. Joseph reste figé sur place quelques secondes puis, tourne en rond dans la pièce, ne sachant où aller. Désespéré d'être aussi seul, il lève une béquille en l'air et l'abat sur le plancher.

JOSEPH, *sans crier.* − Maudite vie!

Musique et rideau. C'est la fin du troisième acte.

QUATRIÈME ACTE

SCÈNE XVII

*Deux semaines plus tard, un vendredi soir,
vers neuf heures. Bertha est seule en scène,
assise dans les marches du perron. Pour être
plus confortable, elle a placé un oreiller sous
elle. On voit à son humeur et ses gestes
qu'elle a chaud. Sirène de bateau au loin. On
entend une voix de femme qui chante.*

Les grands soleils les belles nuits
Et toute la chaleur d'été
Ne chasseront jamais l'ennui
Qui rôde dans les bas quartiers

Tous les navires dans le port
Finiront bien par s'en aller
Et ceux qui rêvent de départ
En auront l'âme chavirée

Les bancs des parcs et les perrons
Sont amarrés à tout jamais
Les amoureux n'ont pas raison
D'attendre ainsi le mois d'juillet

Édouard sort de la cuisine, une bouteille de bière et un verre à la main. Il passe dans le living-room, tire une chaise et s'assoit à un bout de la table. Il se verse nerveusement à boire.

ÉDOUARD, *appelant.* – Bertha !... Bertha !...

Elle soupire et se lève de mauvais gré. Ramassant son oreiller. Elle entre dans la maison.

BERTHA. – Tu peux pas me laisser me reposer une minute ? Qu'est-ce que tu me veux ?

ÉDOUARD. – T'as pas vu Armand ?

BERTHA. – Il finit à neuf heures le vendredi soir, tu le sais bien !

ÉDOUARD, *presque pour lui-même.* – Joseph non plus est pas rentré. C'était sa première paye ce soir. J'ai hâte d'avoir des nouvelles, c'est pour ça. Il m'a promis d'aller faire le premier paiement en mon nom. « Tout de suite en partant de la station, je passe par la Caisse Populaire »... C'est ce qu'il m'a dit ce matin. Je devrais pas m'inquiéter, hein, Bertha ?

BERTHA. – Je te l'ai dit quand y a recommencé à travailler : moins j'entendrai parler de lui, mieux ce sera pour moi.

Elle va en direction de sa chambre, ouvre la porte, lance l'oreiller sur le lit, referme la porte, va tourner le bouton de la radio, et s'assoit pour écouter la musique.

BERTHA. – Les grandes chaleurs qui commencent. On va en avoir pour trois mois. L'été c'est comme l'enfer. Trois mois d'enfer à endurer. Jamais de repos, jamais de plaisir. Trois mois à m'écraser sur le perron pour essayer d'attraper une p'tite brise… Je me demande comment ça va être pour les damnés ? Ça pourra pas être pire.

ÉDOUARD, *très doucement.* – Bertha…

BERTHA, *dure.* – Quoi ?

ÉDOUARD. – Un jour, je pourrai peut-être te donner un peu plus de confort.

BERTHA. – J'y compte plus. J'ai attendu trop longtemps pour rien.

ÉDOUARD. – La vie de Joseph va se stabiliser, Fleurette va finir par se marier, je vais avoir moins d'obligations. Ça va me permettre de t'offrir un peu plus de luxe.

BERTHA. – Tu rêves tout haut. Garde donc ça pour toi.

ÉDOUARD. – Je te demande d'avoir un peu plus de patience et de me croire.

BERTHA. – J'en ai eu de la patience. Elle s'est usée.

Et le silence s'installe. La lumière diminue sur eux. Entrent Fleurette et Ronald dans la rue. Ce n'est déjà plus le jeune couple amoureux que nous avons connu.

FLEURETTE. – C'était pour me dire ça que tu m'invitais ce soir ?

RONALD. – J'aurais pu te le dire au téléphone mais j'ai pensé que ce serait pas honnête.

FLEURETTE. – Si tu m'aimes déjà plus, ça veut dire que tu m'as jamais aimée d'amour ?

RONALD. – Je voulais pas me l'avouer mais je savais qu'on en viendrait à ça, un jour... Avec toutes les années d'études qui me restent...

FLEURETTE. – Tu t'en fichais de tes années d'études quand tu restais tard sur le perron pour m'embrasser... Tu t'en fichais aussi le soir où tu m'as amenée chez toi pendant que tes parents étaient partis en voyage... Tu m'avais dit qu'il y aurait une fête mais on était tout seuls. Je t'ai pas demandé pourquoi. Après ce qui s'est passé ce soir-là, je pensais que t'étais sérieusement en amour avec moi.

RONALD. – J'aurais pas dû, je le sais que j'aurais pas dû. J'ai eu des regrets le lendemain.

FLEURETTE. – Pas moi. Moi j'ai pas eu de regrets.

RONALD. – Pardonne-moi, Fleurette, et laisse-moi partir. Maintenant je le sais qu'il faut pas jouer avec l'amour... Dis-moi que tu m'en veux pas que je m'en aille, dis-le moi !

FLEURETTE. – Jusqu'à ce soir, j'ai rien fait pour te retenir... Je savais d'avance moi aussi que j'avais pas ce qu'il fallait pour te retenir.

RONALD. – Tu vas te faire d'autres cavaliers, tu vas m'oublier vite, tu vas voir... J'ai déjà eu une peine d'amour, je connais ça.

FLEURETTE. – Je t'ai pas demandé de rester pour me consoler. Pourquoi que tu t'en vas pas tout de suite au lieu de continuer à parler ?

RONALD. – Je veux que tu me pardonnes, avant. *(Il la touche.)*

FLEURETTE. – Non. Et puis touche-moi pas !

RONALD. – Je te le demande, Fleurette.

FLEURETTE. – Jamais ! Je te le pardonnerai jamais !

Ronald la regarde désespérément, ouvre la
bouche pour ajouter quelque chose mais se
ravise, lui tourne le dos et sort. Fleurette a un
mouvement instinctif vers lui, mais s'immo-
bilise aussitôt.

FLEURETTE, *les yeux mouillés de chagrin.*
– Ronald!... Qu'est-ce que c'était les beaux vers?...
Qu'est-ce que c'était?... «Un cœur à l'autre uni»... Je
les avais appris par cœur, je les avais appris pour rien.

Pour s'empêcher de pleurer, elle se mord le
poing. Puis elle se contient, s'essuie les yeux
et entre dans la maison. Elle traverse rapide-
ment le living-room sans un mot et entre
dans sa chambre.

BERTHA. – Qu'est-ce qu'elle a encore celle-là ?
ÉDOUARD. – Je sais pas. Du chagrin, comme tous
les enfants.
BERTHA. – Dis-moi pas qu'elle vient de casser
avec son étudiant.

Elle tourne le bouton de la radio et la musi-
que cesse. Entre Armand. Aussitôt, Édouard
se lève et l'interroge du regard dans l'attente
d'une bonne nouvelle. Mais Armand n'est
pas d'excellente humeur. Il devine tout de
suite ce que son père attend de lui et continue
de se taire. Il dépose sa serviette dans un
coin, enlève son veston, dénoue sa cravate et
s'étire. Édouard suit tous ses gestes avec
angoisse. Il n'attend qu'un mot. Qu'un seul
mot.

ÉDOUARD *se risque enfin.* – C'est fait, Armand ? C'est fait ?

ARMAND, *qui en a presque pitié.* – Tu y as cru jusqu'à la dernière minute, hein ?

ÉDOUARD. – Dis-moi qu'il est passé à la Caisse ! Dis-moi qu'il a tenu parole ! .

ARMAND *fait « non » de la tête.* –... Il s'est pas montré le nez.

ÉDOUARD. – Il a été retenu à la station dans ce cas-là ! Il a été obligé de faire des heures supplémentaires ! Il va me donner l'argent de main à main.

Il commence à marcher dans la pièce, de long en large, comme un animal en cage.

ARMAND. – À ta place, je me ferais pas trop d'illusions, le père.

ÉDOUARD. – Je suis certain qu'il est arrivé quelque chose d'imprévu. Y aurait pas pu me faire ça. Je le crois pas. Je le croirai pas tant qu'il sera pas revenu.

BERTHA. – Si t'arrêtais de marcher un peu, t'es pas dans une cage ! Un vendredi soir, tu sais bien qu'il est allé boire sa paye.

ÉDOUARD. – Dis pas ça ! *(Se tourne vers Armand.)* T'es sûr Armand ? T'es sûr qu'y est pas allé ?

ARMAND. – Je suis resté à la Caisse jusqu'à la fermeture, je l'aurais vu !

ÉDOUARD. – La dernière fois que je plaçais ma confiance en lui, la dernière, et il fallait qu'il me triche.

BERTHA. – Moi je vais prendre un peu de frais, on crève de chaleur ici-dedans.

Elle sort.

ÉDOUARD *ne s'en occupe pas. À Armand, toujours.* – Tu dois savoir où il se tient de coutume?... T'irais pas voir, t'irais pas le chercher avant qu'il ait tout gaspillé?

ARMAND. – Tu penses pas qu'il est assez grand pour prendre soin de ses affaires tout seul, le père...

ÉDOUARD. – Il a peut-être été entraîné, tu le sais pas!

ARMAND *rit.* – C'est plutôt lui qui entraîne les autres.

ÉDOUARD. – J'irais avec toi si tu voulais.

ARMAND. – Non. J'ai pas le goût de courir les «grills» et les tavernes. Il le mérite pas, le père... *(Il bâille.)* Ma journée est faite et puis je m'endors.

> *Armand entre dans sa chambre. Édouard ne sait plus quoi faire. Il piétine sur place quelques secondes, puis sort dehors où il retrouve Bertha qui s'est assise dans les marches du perron. Édouard regarde avec inquiétude dans les deux directions de la rue et, ne voyant rien venir, s'assoit à son tour, près de Bertha. Quelque part, dans une maison du faubourg, une jeune femme, ou une enfant, joue du piano. Quelque chose dans le genre de* Für Elise, *de Beethoven.*

ÉDOUARD. – Il m'a désappointé sur toute la ligne. Mais je suis encore là à l'attendre.

BERTHA. – T'es le seul.

ÉDOUARD. – C'est pourtant pas un fou, Bertha!

BERTHA. – C'est un raté, tu peux plus le changer.

ÉDOUARD. – Je suis attaché à lui par je sais pas trop quoi... Quand il était jeune, si tu savais comme c'était un enfant qui promettait ! À l'école, il arrivait pas le premier mais ses rangs étaient bons... Et puis, tout à coup, crac ! en quatrième année, quand sa mère est, morte. Il est arrivé le dernier de sa classe dix fois sur dix. L'année suivante, il a refusé d'y retourner ; j'ai tout essayé. Un soir il m'a fait perdre la tête et je lui ai donné une fessée tellement forte que j'ai eu peur de le tuer... Le lendemain, il m'a ri au visage. Il m'a dit que je pouvais recommencer si ça me plaisait, mais qu'il retournerait pas à l'école... Après ça, tout ce qu'il m'a apporté c'est des tracas, des tracas... Dis-moi pourquoi j'attends encore quelque chose de lui, Bertha ?

BERTHA. – Parce que tu lui ressembles, parce que t'es aussi entêté que lui.

Elle se lève.

ÉDOUARD. – Tu rentres ?

BERTHA. – Oui. Fait aussi chaud dehors qu'en dedans. Le vent est mort, on étouffe. Comme moi j'attends rien ni personne, je suis aussi bien d'aller me coucher.

> *Elle entre et va s'enfermer dans sa chambre après avoir éteint quelques lampes du living-room. Édouard reste seul assis sur le perron, la tête entre ses deux mains.*

SCÈNE XVIII

Une heure plus tard, dans le grill. La place est vide. Entrent Joseph et Émile. Ils sont passablement éméchés. Tous deux portent leur costume de vendeurs d'essence. Musique d'ambiance et d'époque.

JOSEPH *regarde autour de lui.* – Pas grand-monde !... La pêche est pas bonne ce soir. *(Il crie.)* Waiter ! *(Il s'assoit.)* C'est le cinquième club qu'on patrouille ?

ÉMILE. – Ouais. Cinq clubs plus une barbotte. *(Il s'assoit.)* On aurait dû se changer, comme je t'avais dit.

JOSEPH. – Fatigue-moi pas avec ça, c'était pas notre soir de chance, c'est tout.

Entre le garçon de table.

JOSEPH. – Deux *double ryes.*

Le garçon acquiesce et sort.

JOSEPH. – Pas chanceux avec les femmes, je pensais qu'on serait chanceux à la barbotte.

ÉMILE. – Ça faisait des années que je jouais plus ! Mais fallait que tu me pousses à recommencer.

JOSEPH. – T'étais pas obligé de jouer, t'avais rien qu'à me laisser faire.

ÉMILE. – Ça me crevait le cœur de te voir perdre.

Entre le garçon. Il les sert et s'en va.

JOSEPH. – Je voulais rentrer dans mon argent, je voulais tenir la promesse que j'ai faite au père.

ÉMILE. – T'avais rien qu'à retourner chez toi après le travail!

JOSEPH. – J'avais promis, Émile, j'avais promis!

ÉMILE. – Je le sais. Mais t'aurais pas dû! T'es pas capable de tenir une promesse.

JOSEPH. – Dis pas ça! *(Il crie.) Waiter!*

ÉMILE. – Moi, c'est le dernier verre que je te paye, Joseph.

JOSEPH. – T'es fou! Je voulais boire toute la nuit!

ÉMILE. – On travaille demain. Tu sais qu'on a des grosses journées le samedi.

JOSEPH. – Je m'en sacre! Je veux prendre un coup.

ÉMILE. – Je t'avertis que c'est le dernier. T'as pas d'argent pour continuer à boire.

JOSEPH. – Ils m'ont lavé, Émile, ils m'ont rien laissé. Si j'avais eu un char, je le jouais, ils me le prenaient. *(Au garçon de table qui vient d'entrer.)* Deux autres doubles, après on s'en va! *(Le garçon sort. À Émile.)* Celui-là, je te l'offre! Mais paye-le, je te remettrai ça sur mon salaire de vendredi prochain.

ÉMILE. – Je vais m'en souvenir, Joseph!

JOSEPH. – On prend celui-là, puis après on se trouve des femmes. *(Au garçon qui vient les servir.)* Tu pourrais les remplir un peu plus! C'est des coups d'enfants d'école ça!

> *Le garçon se contente de déposer l'addition sur la table et s'éloigne.*

JOSEPH. – Tu parles d'un maudit voleur! Y a même pas deux onces!... On se trouve des femmes puis on monte dans le nord avec.

ÉMILE. – Je t'ai dit que je rentrais, Joseph.

JOSEPH. – Okay, laisse-moi tout seul, je m'en sacre! J'ai toute la nuit pour finir mon verre. Je rentre pas à la maison ce soir.

ÉMILE. – As-tu peur de ton père?

JOSEPH. – J'ai peur de personne!... Ni de toi, ni du père, ni du *waiter*, ni de personne... Tout ce que je demande, c'est qu'il soit pas là, à m'attendre...

ÉMILE. – T'aggraves ton cas, Joseph. Si tu rentres pas ce soir, c'est demain que t'auras des comptes à rendre. C'est pas en te soûlant comme un cave que tu vas régler tes problèmes d'argent. On prend un taxi et puis je te laisse en passant.

JOSEPH. – Je t'ai dit que je restais. Va-t'en si tu veux, ça m'est égal. Et puis je me sacre de mes dettes, je me sacre de tout le monde... Mais lui, lui le père, avec son grand visage de chien battu... Y a quelqu'un qui a triché quelque part, y a quelqu'un qui fait que la vie maltraite toujours les mêmes! Y a quelqu'un qui a mêlé les cartes, Émile, va falloir le trouver. Va falloir le battre à mort, Émile... Ça fait assez longtemps que je le cherche! Je vais le trouver! Je vais le trouver! J'en ai assez de traîner l'enfer derrière moi.

ÉMILE *se lève*. – Tu déparles, Joseph... je suis plus intéressé à t'entendre déparler plus longtemps. *(Il jette de l'argent sur l'addition.)* Salut!

Et il sort.

JOSEPH. – C'est ça, salut !... Salut, Chrysostôme !... Quand je reste tout seul, je fais pas de bêtises aux autres. *(Il enfile son verre et éclate de rire.)* C'est comme ça que ça devait finir... *(Il se lève et va s'adresser au couple d'amoureux de la table suivante.)* Pas vrai ? Pas vrai que c'est comme ça que ça devait finir ? *(Le couple se lève et sort. Joseph les regarde sortir désespérément.)* Ça finit toujours comme ça... *(Il rit et redevient sérieux.)* Y a toujours quelque part un chien galeux qui traîne sa maudite misère la nuit... *(Et il entame la chanson grivoise du parc Lafontaine.)*

T'as pas besoin d'chercher longtemps
Pour trouver chaussur' à ton pied
Etc.

SCÈNE XIX

Quelques minutes plus tard. Complètement ivre, Joseph parait sur la passerelle, continuant de chanter sa chanson. Il s'arrête de chanter lorsqu'il voit paraître la mère Brochu en bas. Il s'accroche au réverbère pour l'interpeller.

JOSEPH. – Mais c'est mémère Trente-Sous qui se promène la nuit comme ça ! Comment vont vos rhumatismes, mémère Trente-Sous ?... Avez-vous pris soin de vos chats aujourd'hui ?

BROCHU, *qui s'est arrêtée et qui lève la tête et son parapluie dans sa direction.* – Espèce d'ivrogne ! Espèce de malappris !... Suppôt de Satan !... Grand flanc mou !...

JOSEPH, *qui éclate de son grand rire brisé.* – C'est pas bien, mémère…, c'est pas correct de dire du mal de son prochain… Une de ces nuits, le «yâble» va vous apparaître dans votre lit avec sa p'tite fourche… Pour vous punir, mémère… Pour vous punir il va faire cuire tous vos matous dans une grande marmite… *(Et de nouveau il éclate de rire et entonne une autre chanson.)*

T'as perdu ton innocence
En arrièr' d'la fact'rie d'coton
En faisant des indécences
Avec un joli garçon…

BROCHU, *scandalisée, les deux mains sur les oreilles.* – Y a du monde qui sont pas du monde… qui descendent en droite ligne du serpent…

> *Elle sort. Paraît Dolorès, devenue prostituée qui s'arrête dans la rue. Joseph qui l'aperçoit s'amène en titubant dans sa direction. Pour lui, elle est une femme, il n'a pas encore reconnu Dolorès. Péniblement il sort son paquet de cigarettes de sa poche.*

JOSEPH. – Si t'as du feu, beauté, on va fumer mes deux dernières cigarettes ensemble… Ouais… Parce qu'après ces deux-là, il me restera plus rien… *(Il ricane en lui offrant une cigarette qu'elle accepte.)* C'est pas des rouleuses, bébé, c'est des «achetées toutes faites»… Des soirs comme ça, je me paye un p'tit luxe.

> *Elle l'allume et s'allume. Il la reconnaît. Il a un petit mouvement de recul.*

JOSEPH. – Si je me trompe pas trop... je pense que je te connais toi...

DOLORÈS, *dure*. – Tu te trompes pas.

JOSEPH *l'examine des pieds à la tête*. – Si mes yeux me font pas défaut, je devine même ce que t'es devenue.

DOLORÈS. – Même si t'es soûl, t'as des bons yeux.

JOSEPH. – C'est arrivé, hein ? C'est arrivé comme je t'avais dit... Et puis ça, grâce à qui ? Grâce à Tit-Mine. Grâce à notre maquereau national qu'on devrait promener chaque année dans la procession de la Saint-Jean-Baptiste. *(Il ricane.)*

DOLORÈS. – C'est pas rien que lui. C'est tous les autres. C'est tous ceux qui ont jamais su aimer les femmes. *(Très dure.)* C'est tous ceux qui se servent des femmes comme des torchons... Des gars comme toi, y en a plusieurs.

JOSEPH, *agressif*. – Moi, je t'avais mise en garde, bébé, tu peux pas dire le contraire.

Dolorès, *qui hausse les épaules avec mépris*. – C'était facile. Ça c'est toujours facile... Mais c'est pas ça qui change quelque chose... Laisse-moi passer...

JOSEPH. – Attends !... Attends, bébé !...

> *Il a dit ça presque suppliant. Il vire ses poches à l'envers comme s'il cherchait de l'argent.*

DOLORÈS. – Qu'est-ce que tu veux que j'attende au juste ?... T'as rien de plus que les autres à donner...

JOSEPH. – Je me souvenais plus, je me souvenais plus que j'étais complètement lavé... Avec Émile...

Tu l'as connu, je pense, Émile? Avec Émile, on a pris un enfant de chienne de coup, ce soir...

DOLORÈS. – Chaque fois que je t'ai vu, c'est ce que tu faisais...

JOSEPH. – Attends, bébé... Il doit y avoir moyen de...

DOLORÈS. – Tu voudrais pas passer la nuit tout seul, hein?... T'aurais besoin de soutien moral toi aussi!... *(Elle éclate de rire.)*

JOSEPH. – Qu'est-ce que tu as?...

DOLORÈS. – Plus je vieillis, plus je m'aperçois que tous les hommes ont le même visage, les mêmes manies, les mêmes faiblesses.

JOSEPH. – Écoute-moi.

DOLORÈS. – Qu'est-ce que ça me donne?... Si t'avais voulu un jour... C'est pas l'argent que j'aurais attendu de toi...

Elle le repousse, s'éloigne et sort.

JOSEPH, *qui a un mouvement pour la suivre.* – Écoute-moi!... Écoute-moi, une minute, Dolorès!... (Elle est sortie, il fige sur place, oscillant sur ses deux jambes. Au loin, dans la nuit, une sirène de navire. Bas, entre ses dents, Joseph recommence à fredonner.)*

T'as perdu ton innocence...
En arrièr' d'la factrie d'coton...

> *Puis il pivote sur lui-même et va pour s'orienter dans une autre direction. Paraît un petit garçon, misérablement vêtu. Dès qu'il l'aperçoit, Joseph s'arrête devant lui. L'enfant de même sans avoir aucunement peur.*

JOSEPH, *sur un ton plus élevé*. – Où est-ce que tu vas en pleine nuit comme ça, toi ?

L'ENFANT. – Nulle part.

JOSEPH. – Comment ça nulle part ? C'est où ça nulle part ?

L'ENFANT. – C'est au bout de la rue, je tourne à droite et puis je continue. Je marche jusqu'au bout de la rue, et puis je tourne à gauche et je continue.

JOSEPH. – C'est pas une réponse ça, p'tit gars...

L'ENFANT. – Moi je me comprends. Je sais où je veux aller.

JOSEPH. – T'as quel âge ?

L'ENFANT. – Ça te regarde pas.

JOSEPH, *qui ricane*. – T'es direct... T'es direct en maudit !

L'ENFANT. – Je cherche le cimetière.

JOSEPH. – Le cimetière ! Quel cimetière ?

L'ENFANT. – Celui où ma mère est enterrée.

JOSEPH, *bouleversé par cette réponse*. – Ah ! parce que ta... *(Il n'achève pas.)* Veux-tu que j'y aille avec toi ? Je suis comme toi moi aussi, j'ai rien à faire. Je suis pas tellement solide sur mes deux jambes mais je serais capable de trouver le chemin.

L'ENFANT. – J'ai besoin de personne. Je suis déjà allé une fois, je suis capable d'y retourner tout seul.

JOSEPH. – C'est loin, Tit-gars, c'est loin en Baptême... faut que tu grimpes dans la montagne.

L'ENFANT. – Une nuit je le retrouverai.

> *Les deux poings dans ses poches, il s'enfonce dans la nuit.*

JOSEPH, *désespéré presque.* – Tit-gars!... Attends une minute, Tit-gars! Hé! Tit-gars!... Moi aussi j'aimerais aller au cimetière... *(Il passe de la tristesse au sourire. Et lentement en secouant la tête il éclate de rire. Quelque part, une voix de femme chante.)*

Tous les enfants perdus
Qui errent dans le monde
Retrouveront la rue
Où les attend leur blonde

> *Et toutes les lumières s'éteignent dans la rue. On entend au loin le bruit d'un marteau-pilon qui frappe à un rythme soutenu sur l'acier et le béton de la ville. Joseph est sorti de scène.*

SCÈNE XX

Quelques secondes plus tard. Le living-room est sombre. Édouard y est assis, seul. Entre Joseph dans la rue du côté droit. Il titube et continue de chanter: « T'as perdu ton innocence... » À plusieurs reprises, il risque de s'effondrer sur le trottoir. Il se rend jusqu'au perron avec beaucoup de difficulté. Dans le living-room, le père se lève dès qu'il entend la voix de Joseph. Il se tient debout, très droit, immobile près de l'entrée du vestibule. Joseph réussit à ouvrir la porte et pénètre à l'intérieur de la maison. Et comme il va passer au living-room en chantant, il trébuche et tombe par terre juste aux pieds d'Édouard. Il cesse de chanter pour éclater de rire. Mais son rire se fige lorsqu'il découvre les pieds de son père près de lui. S'agrippant aux jambes d'Édouard, tant bien que mal, il commence à se lever.

JOSEPH, *enfin debout.* – B'soir p'pa… B'soir p'pa.

Son père le regarde et ne répond pas.

JOSEPH. – Tu pourrais me dire bonsoir le père ! C'est vrai ! Je suis poli, moi ! Tu pourrais être poli, toi aussi !… Penses-tu que je suis surpris de te voir ? Je suis pas surpris une miette !… Je savais que tu serais debout, je savais que tu m'attendrais… Je l'ai dit à Émile, tu peux lui demander ; j'ai dit : Émile je te gage cent piastres que le père va m'attendre.

Éveillé par les voix, Armand paraît dans sa porte de chambre. Il fait de la lumière.

JOSEPH. – Armand aussi, je le savais ! Je savais que vous seriez pas capables de vous endormir avant que j'arrive. Je me suis pas trompé, je me suis pas trompé, le père. On aurait dit que c'était tout arrangé d'avance. Ouais ! Parce que vous deviez avoir hâte de savoir si j'allais apporter mes quarante piastres… Parlez ! parlez, maudit !… Dites quelque chose ! Restez pas là, la bouche ouverte comme des poissons morts. Vous m'attendiez ou bien vous m'attendiez pas ?

BERTHA, *qui paraît à son tour dans sa porte de chambre.* – Qu'est-ce que t'as à crier comme ça, toi ? As-tu perdu la boule ? Veux-tu réveiller toute la rue ?

JOSEPH. – Toi, je t'ai pas adressé la parole, Bertha. Rentre dans ta chambre et dis pas un mot. Là, je suis en conférence avec le père et Armand.

ARMAND. – On parlera de tes affaires demain, Joseph. Il est trop tard pour discuter de ça, ce soir.

JOSEPH. – Trouves-tu qu'il est trop tard, le père ? T'étais là, debout comme un brave, quand je suis rentré ! Trouves-tu qu'il est trop tard ?

BERTHA. – Armand a raison, va te coucher, espèce d'ivrogne.

JOSEPH. – Certain qu'Armand a raison. Il a toujours eu raison le p'tit gars à sa mère ! *(Il fonce en direction de Bertha.)* Certain que je suis rien qu'un ivrogne ! Mais j'ai pas d'ordres à recevoir de toi, la grosse Bertha. T'es pas ma mère ! Tu seras jamais une mère pour moi.

BERTHA. – Je voudrais pas avoir traîné un voyou comme toi dans mon ventre !

JOSEPH. – J'aime autant être un voyou, Bertha, et pouvoir me dire que ta fille Marguerite est pas ma vraie sœur.

BERTHA. – Touche pas à Marguerite !

JOSEPH. – Si c'était une bonne fille comme Fleurette, j'y toucherais pas, mais c'est pas une bonne fille... Je sais ce qu'elle est devenue Marguerite, tout le monde de la paroisse le sait, et si tu le sais pas toi, je peux te l'apprendre.

ARMAND. – Marguerite est secrétaire dans une grosse compagnie, laisse-la tranquille.

JOSEPH. – Si Marguerite est secrétaire, moi je suis premier ministre ! La vérité va sortir de la bouche d'un ivrogne, de la bouche d'un voyou, Bertha. En quatre ans, ta fille Marguerite a fait du chemin,

Bertha. Ça lui a pris quatre ans mais elle a réussi. Elle a jamais été secrétaire de sa maudite vie par exemple ! Mais fille de vestiaire, ah ! oui ! Racoleuse dans un club ensuite, ah ! oui ! certain ! et puis maintenant, elle gagne sa vie comme putain dans un bordel.

BERTHA *crie*. – Mets-le à la porte, Édouard, mets-le à la porte !

JOSEPH. – Pas dans un bordel de grand luxe ! Mais dans ce qu'on trouve de plus *cheap* rue De Bullion.

ARMAND. – Répète plus ça, Joseph, répète plus jamais ça !

> *Armand lève la main mais Joseph le repousse violemment.*

JOSEPH. – Essayez de me prouver que c'est pas vrai si vous êtes capables, essayez !

> *Bertha s'enferme dans sa chambre avec furie.*

ARMAND. – Il est devenu dangereux, le père, reste pas avec lui, écoute-le plus.

> *Et il entre lui aussi dans sa chambre apeuré.*

JOSEPH. – Là non plus, tu dis rien, le père ? C'est parce qu'elle a honte, Bertha, qu'elle va se cacher. Tu l'as vue sa honte monter dans son visage ? L'as-tu vue ?... Je gagerais n'importe quoi avec toi qu'elle le savait pour Marguerite. Qu'elle l'a toujours su... Tu dis rien ? Ça t'est égal ? Je te comprends un peu ! C'était pas ta fille après tout !... Parle ! Parle donc !

Tu le dis pas pourquoi t'es resté debout à m'attendre ?
Es-tu comme eux autres, toi aussi ? As-tu peur de voir
la vérité en pleine face ?... La vérité, c'est que j'ai pas
tenu ma promesse, le père ! La vérité, c'est que j'ai bu
la moitié de ma paye et que j'ai flambé le reste dans
une barbotte !... Es-tu content ? Es-tu content, là ?...
Et puis ça, c'est toi qui l'as voulu, le père ! C'est de ta
faute. Rien que de ta faute. T'avais seulement qu'à
pas me faire promettre. T'avais seulement qu'à pas
me mettre de responsabilités sur les épaules. T'avais
rien qu'à me laisser me débrouiller tout seul, y a deux
mois, quand je me suis retrouvé à l'hôpital avec ma
jambe cassée... Tu devrais pourtant être assez vieux
pour savoir qu'on rend pas service à un gars comme
moi. Qu'un gars comme moi, c'est pas fiable pour
cinq cennes !... Tu le savais pas, ça ? Tu le sais pas
encore ? Réveille-toi ! Réveille-toi donc ! Je m'appelle
pas Armand, moi, j'ai pas d'avenir, j'ai pas de
connections, j'ai pas de protection nulle part ! Je suis
un bon-à-rien, un soldat manqué qui a seulement pas
eu la chance d'aller crever au front comme un
homme... Parle ! C'est ton tour, Christ ! Parle !

ÉDOUARD, *d'une voix basse, pesant bien chaque
mot.* – Je réglerai ton cas demain matin.

> *Il lui tourne le dos et se dirige vers sa cham-
> bre où il s'enferme. Joseph, décontenancé
> d'abord, puis hors de lui, marche désespéré-
> ment vers la porte fermée.*

JOSEPH *frappe à coups de poings dans la porte.*
– C'est ça ! C'est ça ! Va coucher avec la grosse Bertha. Ça fait vingt ans que tu couches avec elle et que

tu l'aimes pas... Tu l'as mariée parce que t'étais pas capable de rester tout seul, parce que t'étais lâche... *(Il s'effondre à genoux par terre.)* J'en avais pas besoin de Bertha, moi. Toi non plus, le père. On aurait pu continuer notre chemin ensemble, tous les deux, tout seuls... Non, le père! A fallu que tu la prennes avec nous autres, que tu l'amènes dans notre maison..., jusque dans le lit de ma mère... C'est ça que je voulais te dire depuis longtemps, c'est ça... Mais fais attention, le père! Moi, je suis là! Je suis là pour te le faire regretter toute ta vie! Tu me comprends? Toute ta Christ de vie!

> *Et il éclate en sanglots comme un enfant puis s'éloigne de la porte de chambre en titubant. Fleurette sort de sa chambre et s'approche avec inquiétude de Joseph. Son visage est bouleversé. Joseph qui l'aperçoit se voile le visage, pousse un long gémissement, fait quelques pas pour s'en éloigner et s'effondre par terre.*

FLEURETTE *se penche sur lui.* – Joseph!... Y a pas grand-chose de beau dans le monde, hein? Y a pas grand-chose... On dirait que c'est tout le temps vide. *(Elle lui caresse les cheveux.)* C'est vrai ce que t'as dit pour Marguerite?... J'ai peur de faire comme elle, Joseph... Peut-être qu'on est moins malheureuse quand on se laisse aimer par tout le monde!... *(Elle le regarde avec tendresse, se lève, va décrocher la vareuse de Joseph et le veston d'Armand et vient en recouvrir son frère qui gît sur le sol.)* Dors. Dors quand même. T'as tellement l'air fatigué. T'as tellement l'air

malade. Faut pas que tu boives comme ça, aussi!
(Douce.) Espèce de vaurien... Espèce de chenapan...
Espèce de sans-dessein! Si j'étais ta mère, je te chica-
nerais...

> *Elle le caresse et le regarde une dernière fois,*
> *puis se relève et va s'enfermer dans sa cham-*
> *bre. Lentement, Joseph se replie sur lui-*
> *même, prenant la position du fœtus. La*
> *lumière s'éteint graduellement jusqu'au noir*
> *total pendant qu'on entend une voix de*
> *femme qui chante.*

Tous les enfants perdus
Aux sables des nuages
Ne retrouveront plus
Le pays des mirages

> *Puis, après quelques secondes d'obscurité,*
> *péniblement l'aube d'un jour nouveau et gris*
> *se lève sur la ville. Au loin, très loin, la cloche*
> *d'une église sonne les matines. Une voix*
> *d'homme chante l'office du matin en latin.*
> *Pas d'un cheval dans la rue voisine. Premiers*
> *bruits de la ville, grêles et diffus. Sur le plan-*
> *cher du living-room, Joseph dort toujours. Il*
> *y a de la lumière dans la cuisine. On en dis-*
> *tingue la lueur par une fente de la tenture. Et*
> *on suppose que Bertha et Armand y sont déjà*
> *puisque nous entendons leurs voix.*

Voix de Bertha. – Des toasts?
Voix d'Armand. – Non.

Voix de Bertha. – Un œuf d'abord ?

Voix d'Armand. – Merci, m'man.

Voix de Bertha. – Après une nuit de fou pareille, je te comprends de pas vouloir manger.

Bertha, *qui paraît sous l'arche de la cuisine.* – Je vais faire les lits.

> *Elle se dirige vers la chambre des garçons. Elle est obligée d'enjamber le corps de Joseph pour s'y rendre. Elle aurait la tentation de lui donner un coup de pied en passant mais elle se ravise et entre dans la chambre. Armand sort de la cuisine à son tour et se dirige vers la penderie pour prendre son veston. Ne le trouvant pas tout de suite, il le découvre sur les épaules de Joseph. Il le regarde avec dégoût et va lui arracher son veston. Joseph bouge quelque peu puis retombe dans l'immobilité totale. Fleurette sort de sa chambre, les traits tirés, et s'approche de Joseph pour regarder s'il dort toujours.*

Armand. – Un beau spectacle, hein !

Fleurette. – Pauvre Joseph !…

Armand. – Tu trouves moyen de le plaindre ? Tu devrais être scandalisée, tu devrais te fermer les yeux devant ça.

Fleurette. – C'est pas en fermant les yeux qu'on arrange les choses.

Armand. – Les filles d'aujourd'hui, tout leur est égal.

> *Fleurette va chercher un peigne sur la commode et s'en va à la cuisine. Armand hausse*

*les épaules et continue de marcher dans le
living-room.*

ARMAND, *comme il s'arrête près de Joseph.*
– Réveille-toi! Tout le monde est debout pour aller
travailler, réveille-toi comme les autres! Si tu penses
qu'on va avoir pitié de toi, tu te trompes. T'as jamais
eu pitié de rien ni de personne. T'as passé ta vie à
cracher sur tout le monde. Ce sera bientôt à notre
tour de cracher sur toi.

> *Comme il voit Joseph bouger de nouveau,
> Armand cesse aussitôt de l'invectiver et s'en
> éloigne. Péniblement, Joseph commence à
> s'éveiller. Tout tourne autour de lui, il a mal
> à la tête, sa bouche est pâteuse et la lumière
> du jour lui crève les yeux. Il se raidit contre
> ces malaises et fait tous les efforts pour se
> relever. Il y parvient en s'agrippant aux meu-
> bles. Il dépose sa vareuse de soldat sur la
> table, s'assure que ses jambes vont le suppor-
> ter et fait quelques pas, en direction de la
> cuisine. C'est à ce moment qu'Édouard
> paraît dans sa porte de chambre et qu'il l'in-
> terpelle.*

ÉDOUARD. – Joseph!

> *Joseph s'immobilise et tourne difficilement la
> tête dans sa direction.*

JOSEPH, *d'une voix calme.* – Qu'est-ce que tu
veux, le père?

ÉDOUARD. – Où c'est que tu vas?

JOSEPH. – Je veux me laver un peu... pour me réveiller... Y a des aspirines dans la pharmacie?

ÉDOUARD. – Laisse faire les aspirines, je veux te parler.

> *Il s'approche de quelques pas dans sa direction.*

JOSEPH. – Attends, ce sera pas long. Cinq aspirines et puis tu me diras tout ce que tu voudras.

ÉDOUARD. – Je t'ai dit de laisser faire les aspirines!

JOSEPH. – Okay, okay, pas si fort! Tu vois pas que j'ai mal au bloc?... *(Il tourne le dos à son père.)* Ah! puis je sais d'avance ce que tu vas me dire. Perds donc pas ton temps.

ÉDOUARD. – Reste là! La nuit passée, t'as parlé tant que t'as voulu, maintenant, c'est mon tour.

> *Bertha sort de la chambre, attirée par les voix.*

JOSEPH. – Fais ça vite, d'abord. Moi, j'aime ça direct. J'aime ça court.

ÉDOUARD. – Je te parlerai pas longtemps, je te crierai pas par la tête non plus, je suis un peu plus civilisé que toi.

JOSEPH. – Tu vois? Tu commences à prendre des détours. Qu'est-ce que ça donne de passer par quatre chemins?

ÉDOUARD. – Ferme ta gueule!

JOSEPH. – Tu cries autant que moi aussi! Ça sert à rien, tu peux pas t'empêcher de me ressembler.

Fleurette paraît dans le living-room.

ÉDOUARD *fait un autre pas vers Joseph.* – Si j'ai crié c'est parce que c'est la seule façon de te faire comprendre. Je m'aperçois que t'as pas grand-chose au fond de la caboche mon p'tit gars... La première chose que tu feras quand je t'aurai parlé, ce sera de passer la porte. Et on espère tout le monde qu'on te reverra plus. Le seul souvenir qui va rester entre toi et moi c'est l'emprunt que j'ai fait et que t'as pas été capable de respecter. À chaque fois que tu feras comme hier, que tu rencontreras pas tes obligations, je me rendrai à la Caisse Populaire moi-même, les rencontrer à ta place. Mais pas parce que je continue de te considérer encore comme mon garçon, ça c'est fini, pour moi t'es plus personne ; mais parce qu'un jour j'ai fait la folie de penser que tu pouvais agir comme un homme. Et puis parce que, jeune, j'ai appris à être honnête, à respecter mes engagements. Parce que je me suis rendu compte qu'Armand et Bertha ont toujours eu raison de dire que t'étais un sans-cœur et un raté. C'est tout, j'ai fini.

JOSEPH. – C'est comme ça que je t'aime, le père. Un bon boxeur cognerait pas mieux que toi.

Il tourne le dos à Édouard, va ramasser sa vareuse de soldat et fait face de nouveau à son père.

JOSEPH. – C'est tout ce que je prends comme bagage... *(À Bertha.)* Le reste de mon linge, tu le vendras aux pauvres qui passent, Bertha.

Et il sort de la maison. Il disparaît dans la rue. Personne ne bouge plus. Soudain Fleurette éclate en sanglots et entre aussitôt dans sa chambre. Bertha, satisfaite, s'en va à la cuisine alors qu'Armand jette un regard d'admiration à Édouard et sort de la maison pour s'en aller à son travail. Il ne reste plus qu'Édouard en scène. On sent qu'il est éreinté par le geste qu'il vient de poser. Ses épaules sont courbées, son visage est ravagé et jamais il ne nous a paru si vieux. Lentement, il va décrocher son veston et sa casquette. Puis il va à la cuisine chercher sa boîte à lunch. Quelque chose l'oppresse, il s'appuie au chambranle pour ne pas défaillir. On fait le noir complet.

SCÈNE XXI

Dans le noir on entend la musique du carrousel en arrière-plan. L'éclairage revient dans la rue supérieure près du réverbère. Six jours ont passé. Ce n'est pas encore le soir mais presque. Fleurette, près du réverbère attend nerveusement quelqu'un. Joseph paraît à l'autre extrémité de la rue, vêtu de sa vareuse de soldat. Dès qu'il aperçoit Fleurette, il va à sa rencontre.

JOSEPH. – Pourquoi que tu m'as donné rendez-vous ici ?

FLEURETTE. – Fallait que je te voies, Joseph. Fallait que je te parle.

JOSEPH. – T'as les yeux tout rouges.

FLEURETTE. – C'est pas important ça, Joseph... Je suis venue... je suis venue t'apporter des nouvelles de la maison.

JOSEPH, *qui hausse les épaules, cynique*. – T'aurais pas dû te déranger pour rien. Je veux plus jamais rien savoir de la maudite famille.

FLEURETTE. – C'est parce... c'est parce que ça va pas trop bien chez nous.

JOSEPH. – Qu'est-ce que tu veux que ça me fasse? C'est rien de nouveau. Ça fait au moins vingt ans que ça marche pas.

FLEURETTE. – P'pa a fait une crise cardiaque.

JOSEPH, *malgré lui*. – T'es folle! Tu sais pas ce que tu dis!

FLEURETTE. – Il est au lit... à moitié paralysé.

JOSEPH. – T'es folle!... Ça se peut pas!

FLEURETTE. – Je pourrais pas inventer ça.

JOSEPH. – C'est arrivé quand?

FLEURETTE. – Y a six jours, quand t'es parti.

JOSEPH. – Tu veux dire le matin qu'il m'a jeté dehors pour faire plaisir à Bertha.

FLEURETTE. – Il a ouvert la porte pour sortir... et puis on l'a retrouvé dans les marches du perron. Le docteur ne semble pas avoir tellement confiance.

JOSEPH. – Pourquoi que tu viens me dire ça? Pourquoi que tu me laisses pas tranquille? Tu sais bien que je fais plus partie de la famille!

FLEURETTE. – J'ai pensé que ça lui ferait peut-être du bien si tu venais lui rendre visite.

JOSEPH. – Après ce qu'il m'a dit l'autre matin, tu te fais des idées, mon cœur. À ses yeux, je suis plus son garçon! Je suis plus rien.

FLEURETTE. – T'aurais seulement qu'à lui demander pardon, tu sais bien qu'il oublierait !

JOSEPH. – Demande-moi n'importe quoi mais pas
ça ! Y a son orgueil, le père, son orgueil d'homme
honnête. Moi, j'ai mon orgueil de sans-parole, mon
orgueil de raté.

FLEURETTE. – Tu refuses ?

Joseph fait oui de la tête.

FLEURETTE. – Même si tu sais qu'il peut mourir ?

JOSEPH. – Vois-tu, la p'tite ? J'ai jamais rien
donné à personne, j'ai jamais sauvé la vie de personne.
Je vois pas comment je pourrais sauver la sienne.
*(Elle commence à lui tourner le dos en baissant la
tête.)* Tu t'en vas déjà ?

FLEURETTE. – Je t'ai dit ce que j'avais à dire... Le
soir, ma place est à ses côtés.

JOSEPH. – J'aurais aimé... J'aurais aimé que tu
viennes me voir pour me dire bonjour... pas pour
m'apporter des mauvaises nouvelles.

FLEURETTE. – Moi non plus, Joseph, j'ai rien à
donner à personne... B'soir, Joseph.

JOSEPH, *à regret tout de même.* – B'soir, la p'tite.

> *Elle s'en va. Joseph reste immobile, la regarde
> s'éloigner et s'en va à son tour, d'un pas
> énergique, dans l'autre direction.*

SCÈNE XXII

*Le lendemain vers la fin de l'après-midi, chez
les Latour. Il y a quelque chose de tragique*

dans l'atmosphère. Armand qui vient d'entrer de son travail apprend de la bouche de Bertha la nouvelle de la mort de son beau-père.

BERTHA. – Le docteur est venu aux alentours de quatre heures à peu près. Il a trouvé que ça allait mieux. Comme Édouard s'était endormi, j'en ai profité pour aller chercher des remèdes à la pharmacie. C'est quand je suis revenue que je m'en suis aperçue.

ARMAND. – Ouais... Il est parti vite.

BERTHA. – Ça fait que là, j'ai poussé un grand cri et puis j'ai appelé « au secours ». La voisine est venue mais pour constater la même chose que moi. On a fait revenir le docteur en vitesse, il l'a examiné une autre fois et puis il s'est retourné pour nous dire qu'on s'était pas trompé, qu'y était mort pour vrai. Fleurette est revenue de son travail, je lui ai dit ça, elle a commencé à pleurer et puis elle s'est enfermée dans sa chambre. Elle m'a laissée toute seule avec lui.

ARMAND. – Pauvre père... Y était pas tellement vieux. Y aurait pu vivre encore quelques bonnes années... L'âge d'être à sa pension approchait; le temps serait venu pour lui de se reposer... Y aura même pas eu cette chance-là... Il nous laisse pas grand-chose, sa mère. Une p'tite assurance-groupe et le billet de cinq cents piastres que j'ai endossé pour lui... Sa dernière folie, la mère. La folie qui l'a achevé... On va juste en avoir assez pour payer son enterrement.

Fleurette est sortie de sa chambre sur les dernières phrases d'Armand. Elle est pâle, ses yeux sont rougis par les larmes.

FLEURETTE. – Tu commences déjà à penser combien ça va coûter, Armand?

ARMAND. – Qui c'est qui va s'en occuper si je le fais pas?

FLEURETTE. – Vas-tu prévenir Joseph, aussi?

BERTHA. – Certain. Comme c'est lui qui l'a tué…

FLEURETTE. – Dis pas ça. C'est pas rien que lui. C'est tous nous autres. Vivre dans une maison où personne s'aime, ça doit pas être bon à la longue. Et puis je pense que p'pa était plus de son temps. Y essayait d'être comme tout le monde, de comprendre tout le monde, mais y était pas capable.

> *Entre Joseph dans la maison. Il est venu par le côté gauche de la rue. Armand et Bertha ont un mouvement de recul.*

FLEURETTE. – Joseph!… *(Elle se jette en pleurant dans ses bras. Joseph comprend tout de suite.)* T'es venu trop tard, Joseph.

ARMAND. – Après tout ce que tu lui as fait, je pensais pas que t'aurais le front de remettre les pieds ici-dedans!

JOSEPH, *écartant doucement Fleurette de lui.* – Je sais que le père voulait me voir avant de mourir. Je suis venu lui rendre visite.

BERTHA. – Fleurette te l'a dit: t'arrives trop tard.

ARMAND. – Tu te contenteras de te montrer à l'enterrement. En attendant, je pense que tu peux pas rendre service à personne. T'aurais pu, y a une semaine, mais t'as laissé passer ta chance. C'est fini maintenant, tu le feras plus souffrir.

*Joseph repousse Armand qui lui barre la
route et se dirige vers la chambre de son père
où il entre.*

JOSEPH, *à Édouard*. – T'aurais pu m'attendre...
Je t'apportais de l'argent... Je suis juste en retard
d'une semaine, le père... On n'a pas le droit d'être en
retard, le père?... *(Il lui passe doucement la main sur
le front.)* Je te demande pas pardon parce que c'est
pas ça que t'attendais de moi. Mais ce que t'attendais
de moi, j'étais pas capable de te le donner.

*Il enlève sa vareuse de soldat et en recouvre
la poitrine de son père.*

JOSEPH. – T'as été mieux que moi. Toute ta vie,
t'as été un bon soldat mais personne savait te le
dire... Salut!... Salut, le père...

Il se détourne de lui et sort de la chambre.

JOSEPH, *à Armand à qui il donne l'argent*. – Tu
donneras ça au gérant de la Caisse... À chaque mois,
tu recevras la même chose.

Et il se dirige vers la porte de sortie.

FLEURETTE, *d'une voix brisée*. – Joseph!... Tu
t'en vas encore, Joseph?
JOSEPH *la regarde*. – Quand on part une fois, on
devrait plus jamais revenir.

*Et il sort de la maison. Il disparaît dans la
rue. Bertha et Armand vont dans la chambre*

et s'agenouillent près du lit. Fleurette regarde en direction de la porte de sortie par où Joseph s'en est allé pour toujours. On entend une voix d'homme qui chante le Requiem *de la messe des morts.*

SCÈNE XXIII

Trois ans plus tard, un soir d'été en 1952, chez les Latour. Nous retrouvons Armand et Bertha assis dans le living-room. Il est environ six heures trente. Armand travaille tandis que Bertha feuillette des magazines. Devant Armand, sur la table, une tasse de thé. À deux ou trois reprises, Armand jette un regard inquiet en direction de la chambre de Fleurette. Une voix de femme chante sur un air de marche.

Ton cœur qui bat sous ta vareuse
Ne me dit pas de phrases heureuses
Il s'en ira ce jour d'été
Quand tu m'auras vraiment quittée

Amour, amour, mon bel amour
Pourquoi toujours, ce dur tambour
Pourquoi toujours ce chant t'appelle
Ce chant d'amour et de querelle

Ton cœur qui fuit sous ta vareuse
Le cher pays de fleurs trompeuses
Est plein de nuit trempé de larmes
Mets ton képi et prends les armes

Amour, amour, mon bel amour
Ô troubadour, des arrièr's-cours
Mon cœur est lourd de tes alarmes
Et pour toujours tu me désarmes

BERTHA *observe Armand*. – T'es bien nerveux !
ARMAND, *à mi-voix*. – Mets-toi dans ma peau !
BERTHA. – Plus tu vas retarder plus ce sera difficile. T'aurais dû régler ça pendant le souper.
ARMAND. – Je le sais.
BERTHA. – Je peux le faire à ta place, si tu veux. Je passerai pas par quatre chemins.
ARMAND. – Non, la mère. Je t'ai dit que je m'en chargeais !
BERTHA. – Je serai pas tranquille tant que tu lui auras pas dit.
ARMAND. – Aussitôt qu'elle sortira de sa chambre !

Silence.

BERTHA, *qui lui montre un magazine*. – Regarde donc le beau p'tit bungalow, Armand.
ARMAND, *qui jette un coup d'œil*. – C'est moderne.
BERTHA. – Moderne et pas cher.
ARMAND. – Je sais pas si c'est tellement pratique, par exemple !
BERTHA. – Ça doit, voyons ! Plus pratique qu'ici en tout cas. Tu sais qu'il y en a de plus en plus dans le nord de la ville ?
ARMAND. – C'est présenté de façon à tenter les femmes. En réalité, c'est peut-être pas si beau que ça.
BERTHA. – J'aurais toujours voulu avoir une maison confortable...

ARMAND. – Depuis qu'on est rien que trois, on a toute la place qu'il faut ici.

BERTHA. – Tu trouves pas ça vieux? T'as jamais remarqué comme c'était sale?

ARMAND. – Ça l'est mais le loyer est pas cher.

La porte de chambre de Fleurette s'ouvre.

BERTHA, *vivement*. – La v'là. Profites-en!

Fleurette s'avance dans le living-room. Elle est femme maintenant. Il y a quelque chose qui s'est apaisé dans son visage. Armand se lève lentement. Il la regarde avec crainte. Il ouvre la bouche pour lui parler mais aucun son ne sort de ses lèvres.

BERTHA. – Armand voudrait te dire quelque chose, Fleurette.

FLEURETTE. – Y a pas à se gêner. Il se gêne pas d'habitude!

ARMAND, *qui bafouille*. – C'est assez grave… Et puis c'est pas plaisant pour moi d'avoir à t'apprendre ça.

Émile est entré dans la rue. Il est très bien vêtu. Costume et cravate sombres. Chemise blanche. Il sonne à la porte d'entrée chez les Latour.

FLEURETTE. – Je vais ouvrir.

Elle se dirige vers le vestibule.

BERTHA, *à Armand*. – Je te croyais plus courageux.

ARMAND. – C'est de ma faute, si la porte a sonné ?

Armand se rassoit.

FLEURETTE, *qui a ouvert la porte et qui aperçoit Émile avec surprise*. – Émile ?

ÉMILE. – Bonsoir, beauté.

FLEURETTE. – Qu'est-ce que tu viens faire ?

ÉMILE. – Je passais. Je voulais prendre des nouvelles.

FLEURETTE. – Veux-tu rentrer ?

ÉMILE. – Non, on peut se parler dehors.

FLEURETTE. – Ça fait assez longtemps qu'on t'a vu.

ÉMILE. – J'ai été pas mal occupé. Je me suis dégourdi depuis trois ans !... Tu sais que je suis devenu chauffeur privé ? Je pars demain pour la Floride. En grosse Cadillac noire, beauté. Je travaille pour un vrai « big shot ». Il fait des affaires à travers l'Amérique. Je le suis partout. Même quand il voyage en avion, y a besoin de moi.

FLEURETTE. – T'es chanceux !

ÉMILE. – J'ai toujours eu ça dans le sang, qu'est-ce que tu veux ? Quand j'étais avec Joseph, c'était pareil. J'avais toujours besoin de partir à l'aventure.

FLEURETTE. – C'est vrai que vous avez fait pas mal de chemin, ensemble !

ÉMILE. – Quand monsieur Latour est mort, je pensais le revoir ! J'étais son ami, je l'aurais pas laissé tomber, Chrysostôme ! Je l'ai pas revu !... As-tu des nouvelles de lui de temps en temps ?

FLEURETTE *fait « oui » de la tête.* – Il m'a écrit une fois... Il s'est engagé dans l'armée et puis y est parti en Corée.

ÉMILE, *qui avait pensé à tout, sauf à ça.* – C'est vrai ? Tu ris pas de moi, Fleurette ?

FLEURETTE. – C'est vrai.

ÉMILE. – J'aurais dû y penser... Quand il avait une idée au fond de la tête, on pouvait pas le faire changer. Pour un gars comme Joseph, il va toujours y avoir une guerre à courir, un coin de pays du bout du monde pour risquer sa peau.

BERTHA, *de l'intérieur.* – Fleurette ! Fleurette ! Viens laver la vaisselle !

FLEURETTE, *qui tourne la tête automatiquement.* – Oui, m'man !... Je vais te laisser, Émile.

ÉMILE. – À ton âge, tu laves encore la vaisselle ?

FLEURETTE. – Faire ça ou bien autre chose.

ÉMILE. – Si Joseph était ici, je sais ce qu'il te dirait, moi !

FLEURETTE. – Y est plus ici. Y est parti courir une autre guerre.

ÉMILE. – Mais s'il y était, il te dirait de plus laver la vaisselle ; il te dirait de partir et de voir le monde, un peu... Sors de ta rue, beauté, cours ta chance. C'est pas une vie de rester écrasée dans ton coin comme tu le fais ! Gaspille pas tes belles années, tu vas les regretter après. T'es encore jeune, tu t'en vas vers quelque chose, tu t'en vas quelque part. Un jour, tu vas savoir ce que t'es, ce que tu veux. Un jour, tu vas comprendre que c'est permis à tout le monde de vivre.

BERTHA. – Fleurette ! Fleurette ! Viens laver la vaisselle !

Fleurette ne bouge pas, cette fois.

FLEURETTE. – Tu l'as connu mieux que nous autres, Émile. Continue de me parler de lui.

ÉMILE. – Une autre fois, beauté. Quand je reviendrai de Floride. Là, faut que je me rende à la rue Peel, mon « boss » va sortir d'un banquet. Bonsoir, et pense à ce que je t'ai dit.

Il sort. Sa voiture démarre et s'éloigne. Fleurette reste seule, immobile sur le coin de la rue. Ses yeux sont mouillés d'espoir.

FLEURETTE. – Un jour, oui... Il faudrait que ça arrive un jour...

BERTHA. – Fleurette ! Es-tu sourde ? Viens laver la vaisselle.

FLEURETTE, *qui entre dans la maison.* – Je suis pas ta servante, m'man. T'as pas besoin de crier si fort pour me demander quelque chose. Je travaille toute la journée, le soir j'aurais le droit d'être libre un p'tit peu.

BERTHA. – Rechigne pas. Moi aussi je travaille toute la journée et j'ai jamais été libre.

FLEURETTE. – T'avais quelque chose d'important à me dire, Armand ?

ARMAND, *se lève une seconde fois.* – Oui... Et si je le fais c'est pas de bon cœur, crois-moi.

FLEURETTE. – T'es pas content de la pension que je paye ?

ARMAND. – C'est pas ça, c'est pas ça du tout... C'est...

BERTHA, *devant l'hésitation d'Armand.* – On a reçu un télégramme du gouvernement aujourd'hui.

ARMAND. – Du ministère de la Défense pour être plus précis.

FLEURETTE. – Puis?

ARMAND. – C'était une mauvaise nouvelle…

Incapable d'aller plus loin, il prend le télégramme dans sa poche et le tend à Fleurette. Elle l'accepte d'abord avec appréhension puis le lit courageusement… Un long silence. Les yeux de Bertha et d'Armand sont rivés sur elle.

FLEURETTE, *après avoir lu.* – Y est mort comme y a voulu… Comme un simple soldat. Tant mieux pour lui.

BERTHA. – Va laver la vaisselle et essaye de pas trop y penser.

FLEURETTE. – Mais je veux pas l'oublier! Je vais y penser toute ma vie!

ARMAND, *comme pour la consoler.* – Y a… y a peut-être gagné une médaille en mourant.

FLEURETTE. – Quand on est mort, on n'a pas besoin de médaille.

Elle pleure doucement, pendant qu'on entend une voix de femme qui chante le Libera *de la messe des morts.*

Fin de la pièce.

DOSSIER

BIOGRAPHIE

Dramaturge et poète, né le 3 janvier 1930 à Montréal, Marcel Dubé fait ses études classiques au Collège Sainte-Marie (1943-1951) et des études de lettres à l'Université de Montréal. Dès 1950, avec des amis, dont Monique Miller, Guy Godin, Robert Rivard et Raymond Lévesque, il fonde une troupe de théâtre, La Jeune Scène, pour laquelle il écrit ses premiers textes : *Le bal triste*, créé à L'Ermitage en 1951, et *De l'autre côté du mur*, qui remporte le prix de la meilleure pièce canadienne au Festival national d'art dramatique en 1952, et première œuvre dramatique présentée à la télévision. De nouveau, en 1953, il triomphe au même festival avec *Zone*. Après un séjour de deux ans en France, il écrit, en 1955, *Chambres à louer*, qui connaît un égal succès. Dès lors, et pendant une trentaine d'années, son œuvre marque le théâtre québécois par une succession de grandes pièces qui font partie maintenant du répertoire dramatique du Québec. Écrivain de métier, il participe au comité de rédaction des *Écrits du Canada français*, rédige de nombreux textes – scénarios et commentaires – pour l'Office national du film, fait jouer ou adapte la plupart de ses pièces à la télévision de Radio-Canada, écrit également un grand nombre de textes dramatiques spécialement pour la radio et surtout la télévision de Radio-Canada, de même qu'il est l'auteur à la même antenne de téléromans populaires tels *La côte de sable* (1960-1962), *De 9 à 5* (1963-1966), *Le monde de Marcel Dubé* (1968-1972), *La vie promise* (1983-1984).

En outre, de 1977 à 1979, il fait partie du Conseil de la langue française, est cofondateur et directeur général du Secrétariat permanent des peuples francophones et, de 1979 à 1985, directeur général de la Corporation du comité organisateur des Rencontres francophones de Québec. Pour l'ensemble de son œuvre, Marcel Dubé reçoit le prix Victor-Morin de la Société Saint-Jean-Baptiste en 1966, le prix Athanase-David du Gouvernement du Québec en 1973, et le prix Molson du Conseil des Arts du Canada en 1984. Membre de la Société royale du Canada depuis 1959, il est élu membre de l'Académie des lettres du Québec en 1987.

BIBLIOGRAPHIE

Zone, pièce en trois actes, Éditions de la Cascade, Collège Sainte-Marie, 1956; Leméac, coll. « Théâtre canadien », 1969.

Le temps des lilas suivi de *Un simple soldat* (théâtre), Québec, Institut littéraire du Québec, 1958.

Florence, pièce en deux parties et quatre tableaux, Québec, Institut littéraire du Québec, 1960; Leméac, coll. « Théâtre canadien », 1970.

Le train du nord, roman, Éditions du Jour, coll. « Nouvelle prose », 1961.

« Dix ans de télévision », *Cité libre*, n° 48, juin-juillet 1962.

« Octobre », théâtre, *Écrits du Canada français*, n° 17, 1964; *Octobre*, Leméac, coll. « Théâtre », 1977.

Un simple soldat, comédie dramatique en quatre actes, Éditions de l'Homme, 1967 (version nouvelle); *Un simple soldat,* pièce en quatre actes, Leméac, coll. « Théâtre canadien », 1968; Les Quinze, coll. « Présence », 1980; *Un simple soldat*, Les Quinze/Stanké, coll. « 10/10 », 1981.

Les beaux dimanches, pièce en trois actes et deux tableaux, Leméac, coll. « Théâtre canadien », 1968.

Bilan, pièce en deux parties, Leméac, coll. « Théâtre canadien », 1968.

« Virginie », œuvre dramatique en quatre parties, *Écrits du Canada français,* n° 24, 1968; *Virginie,* Leméac, coll. « Théâtre canadien », 1974.

Textes et documents, essais, Leméac, coll. « Théâtre canadien, documents », 1968; édition augmentée, Leméac, 1973.

Au retour des oies blanches, pièce en deux parties et quatre tableaux, Leméac, coll. « Théâtre canadien », 1969; *The White Geese*, traduction anglaise par J. Remple, Toronto, New Press, coll. « New Drama », 1972.

Pauvre amour, comédie dramatique en cinq tableaux, Leméac, coll. « Théâtre canadien », 1969.

Hold-up, photo-roman en dix chapitres, en collaboration avec Louis-Georges Carrier, Leméac, coll. « Répertoire québécois », 1969.

Le temps des lilas, pièce en trois actes et sept tableaux, Leméac, coll. « Théâtre canadien », 1969; édition scolaire, Leméac, 1973.

Le coup de l'étrier et *Avant de t'en aller*, théâtre, Leméac, coll. « Théâtre canadien », 1970.

Entre midi et soir, théâtre, Leméac, « Le monde de Marcel Dubé », 1971; Leméac, coll. « Les classiques Leméac », 1977.

Le naufragé, théâtre, Leméac, coll. « Théâtre canadien », 1971.

Un matin comme les autres, théâtre, Leméac, coll. « Théâtre canadien », 1971.

L'échéance de vendredi suivi de *Paradis perdu*, théâtre, Leméac, « Répertoire québécois », 1972.

De l'autre côté du mur suivi de *Cinq courtes pièces*: *Le rendez-vous du lendemain, Le visiteur, L'aiguillage, Le père idéal, Les frères ennemis*, Leméac, coll. « Théâtre canadien », 1973.

Médée, théâtre, Leméac, coll. « Théâtre canadien », 1973.

La cellule, théâtre, Leméac, coll. « Le monde de Marcel Dubé », 1973.

Jérémie, argument de ballet, avec une traduction anglaise de J. Remple, Leméac, coll. « Spectacles », 1973.

La tragédie est un acte de foi, essai, Leméac, coll. « Documents », 1973.

Manuel, texte dramatique en quatre parties, Leméac, coll. « Les beaux textes », 1973.

L'impromptu de Québec ou Le testament, théâtre, Leméac, coll. « Théâtre canadien », 1974.

Poèmes de sable, poésie, Leméac, coll. « Poésie/Leméac », 1974.

L'été s'appelle Julie, théâtre, Leméac, coll. « Théâtre/Leméac », 1975.

« C'était le fil de la vie », théâtre, *Écrits du Canada français*, n° 40, 1976.

Dites-le avec des fleurs, théâtre, avec la collaboration de Jean Barbeau, Leméac, coll. « Théâtre/Leméac », 1976.

Le réformiste ou L'honneur des hommes, théâtre, Leméac, coll. « Théâtre/Leméac », 1977.

« Le trou », théâtre, *20 ans*, VLB éditeur, 1985.

L'Amérique à sec, théâtre, Leméac, coll. « Théâtre », 1986.

Le Québec 1967-1987, du Général de Gaulle au lac Meech, essai, avec la collaboration d'Yves Michaud, Guérin, 1987.

Zone suivi de *Le temps des lilas*, théâtre, Fides, coll. du « Nénuphar », 1992.

Sauf mention contraire, tous ces titres sont parus à Montréal.

RÉCEPTION CRITIQUE

Marcel Dubé sait « voir » et il sait rendre, tel quel, ce qu'il a vu. [...] De la vie, de la vie dure, de la vie implacable. Je ne crois pas que personne, si ce n'est Gabrielle Roy dans *Bonheur d'occasion*, ait su saisir et exprimer avec plus de justesse, avec un regard plus lucide et dépourvu de toute complaisance cette espèce de sentiment d'euphorie, curieusement mêlé d'inquiétude qui fut celui de nos compatriotes, au lendemain de la dernière guerre. [...] Marcel Dubé a dépeint une époque, une époque si proche de nous que nous ne savions plus très bien la voir. Dubé en a repris les grandes lignes pour en faire non plus une œuvre définitive, mais une sorte d'ébauche magistralement esquissée de ce qui pourrait être une somme de ce que fut la vie canadienne-française de ce temps-là.

JEAN HAMELIN,
Le Petit Journal, 15 décembre 1957.

J'avais vu cette nouvelle œuvre de Dubé, à la télévision. À moi aussi, cela avait plu. Le rythme rapide et un peu bousculé qui convient tout à fait à la télévision m'avait paru excellent ainsi que le jeu si naturel de Gilles Pelletier. Un galon de plus à la manche de Dubé ! [...] Dans *Un simple soldat*, l'essentiel c'est l'adaptation de Joseph Latour à la vie banale de tous les jours et à son milieu dont il ne se sent pas accepté. À vrai dire, la guerre pour Joseph, n'a été qu'une période d'évasion à la recherche d'un moyen de régler son problème psychologique, problème qui remonte à plus haut, lorsqu'il n'avait que dix ans environ, à la mort de sa mère. Ce fut une brisure irrémédiable, semble-t-il; d'autant que son père n'a pas réussi à lui procurer une autre maman en se remariant à une femme seulement désireuse de se caser avec ses deux enfants qui suffisaient amplement à son amour: il n'y eut pas de place pour Joseph.

GEORGES-HENRI D'AUTEUIL,
Le Devoir, 1ᵉʳ octobre 1958.

[...] la pièce de Dubé, dix ans après sa création, reste l'une des meilleures de notre répertoire. Elle nous apparaît sans ride, portant ce même cachet d'authenticité et de vérité, et toujours aussi émouvante. Cela provient sans doute de l'atmosphère, admirablement suggérée par une série de tableaux qui sont autant de notations impressionnistes. Cela est également dû au tempo de la pièce qui suit un rythme, non pas français, mais américain auquel répond, en contrepoint, la respiration même de la langue canadienne-française. Voilà pourquoi de nos œuvres dramatiques, la pièce de Dubé est celle qui cristallise le mieux l'insaisissable âme canadienne-française, celle qui exprime le plus justement nos obsessions, nos remords, nos haines, notre mesquinerie, notre grandeur aussi et, surtout, notre impuissance. À travers ses personnages typiques, Dubé porte un vrai témoignage sur l'homme québécois en quête de son identité.

NORMAND LEROUX,
Livres et auteurs canadiens 1967.

On aura reconnu, dans ce thème de la recherche du père, l'un des grands thèmes de la littérature américaine contemporaine. Et tout particulièrement l'influence du dramaturge

Arthur Miller, [...]. À la différence de Miller, [dans *La mort d'un commis-voyageur,*] toutefois, le père représente lui-même, ici, un groupe culturel : la collectivité canadienne-française. Édouard représente l'ouvrier canadien-français dominé par une autorité anglophone, et soumis à son sort. [...] Autant son père est soumis, acceptant l'échec et l'humiliation, autant Joseph se révolte, avec violence toujours, et sans respect des convenances, sans se soucier des lendemains. [...] Joseph Latour est donc, plus qu'un révolté, une sorte de révolutionnaire ; et son drame, plus qu'un drame personnel, est celui d'une société. La fatalité, qui pèse sur son père et sur lui, écrase une collectivité tout entière.

JEAN CLÉO GODIN et LAURENT MAILHOT,
Le théâtre québécois.
Introduction à dix dramaturges contemporains,
Montréal, Hurtubise HMH, 1970.

En fait il y a chez Dubé une fatalité permanente qui frappe autant les pauvres que les riches et sans doute faut-il croire qu'elle ne relève pas essentiellement d'une condition sociale mais d'un fondement humain propre à la vision particulière de Dubé.

ANDRÉ VANASSE,
Livres et auteurs québécois 1971.

[...] nous avons dans *Un simple soldat* l'œuvre synthèse d'une étape de la dramaturgie québécoise. La pièce représente en effet non seulement le personnage qui veut « s'en sortir » et qui y parvient, si l'on veut donner à ce terme plus qu'une signification individuelle. Dans le théâtre québécois, le héros ne recherche jamais sa libération personnelle uniquement. Il est toujours le porteur d'une espérance collective. Au terme d'une longue guerre pour sa libération, le personnage de Joseph Latour, héritier du jeune Latour de

Gérin-Lajoie, du *Félix Poutré* de Louis Fréchette, du *Tit-Coq* de Gélinas, incarne la sorte de victoire possible et envisageable. En dépit des apparences, ce n'est pas un héros tragique, et c'est pour cela que la nouvelle version du texte porte en sous-titre « comédie dramatique » et que la pièce se termine sur le *Libera* de la messe des morts, dont la mélodie funèbre ne doit pas pour autant nous faire oublier qu'elle est aussi un chant de libération.

MAXIMILIEN LAROCHE,
« *Un simple soldat* », *Dictionnaire
des œuvres littéraires du Québec,*
tome III, *1940-1959,* Montréal, Fides, 1982.

Le souffle épique de Joseph Latour, la conscience, même confuse, qu'il a de sa destinée, font passer dans ce drame réaliste un courant tragique assez rare dans le théâtre québécois. En prenant cette attitude, Marcel Dubé a échappé au piège de la pièce à thèse. Joseph Latour est un individu, non un prototype. [...] Destin individuel qui éclaire le destin collectif.

[...] la pièce est installée à demeure dans notre répertoire. À cause de la justesse des personnages, de la description cohérente d'un milieu social, de la perspective historique, et de la présence tragique de Joseph Latour, ce « private » qui a osé rêver d'autre chose. Mais *Un simple soldat* fait vibrer en plus les fibres de l'inconscient collectif québécois. De Félix Poutré à Tit-Coq, de Tit-Coq à Joseph Latour, se reproduit l'image du petit soldat d'ici embarqué dans la guerre des autres. Une sorte d'image obsessionnelle faire de subordination et de révolte, et qu'on retrouve au centre de trois des plus grands succès du théâtre québécois.

GILLES MARSOLAIS,
Théâtre, Centre national des arts,
Ottawa, octobre 1978.

Ses pièces se lisent comme des romans. Les personnages vivent, chaque phrase, chaque mot, portent et on a du mal à laisser ces petits bouquins, fascinants jusqu'à la dernière page. D'ailleurs, Marcel Dubé, écrivain de théâtre, ne cesse de flirter avec la littérature.

ALICE PARIZEAU,
La Presse, lundi 8 septembre 1986.

Pour l'auteur d'*Un simple soldat*, utiliser la langue carencée et amputée qu'est le joual, c'est renoncer à la langue de notre identité, à cet outil dont on s'est dramatiquement laissé déposséder au cours de notre histoire, en particulier depuis les vicissitudes de 1840. Et son refus se fait nettement politique : [...]. Aussi, à la force et à l'omniprésence de la langue anglaise, à son immixtion dans la nôtre, il entend opposer la langue d'une vigueur culturelle retrouvée, la langue de notre reprise en main collective, le français [...]. La langue de Marcel Dubé se veut donc conforme à la vérité des personnages davantage qu'au réalisme linguistique.

[La] vitalité [des dialogues] se nourrit de répliques percutantes. Comme si le silence dans lequel les personnages sont enfermés ne pouvait que se transformer en paroles dures et cruelles. Ce qui donne une langue directe, drue et incisive, qui va droit à l'essentiel, toute de dénuement et de simplicité, à l'image du dépouillement des personnages. L'usage fréquent de l'insistance et des répétitions traduit leurs difficultés à communiquer, alors que l'utilisation abondante des tournures négatives, d'ailleurs souvent doubles [...], exprime tout ce dont ils sont dépossédés, à commencer par une image positive d'eux-mêmes.

MICHEL LAURIN,
Étude de Un simple soldat
de Marcel Dubé, Laval, Beauchemin, 1997.

Joseph Latour n'est pas non plus un héros d'un autre temps, révolu, il y a quarante ans et donc des siècles. Cette figure clé de l'imaginaire québécois, qui explique le succès constant d'*Un simple soldat*, résonne encore aujourd'hui parce qu'il incarne des enjeux fondamentaux d'une certaine condition humaine, trop inhumaine.

STÉPHANE BAILLARGEON,
Le Devoir, 11 avril 1998.

On mesure bien, quarante ans après la création d'*Un simple soldat*, la dette que le théâtre d'ici doit à Marcel Dubé. Dans cette plénitude de l'émotion mise à nu, la confrontation finale, à deux temps, entre le fils et le père, entre deux déceptions mutuelles, apparaît comme une des scènes les plus puissantes de la dramaturgie québécoise.

MARIE LABRECQUE,
Voir, 16 avril 1998.

On voit clairement, par ce texte, que Dubé était très au fait de la dramaturgie et de la littérature qui se faisait alors aux États-Unis, et qu'il a été influencé par elles. Il ne les a pas copiées. Il a démontré que la civilisation nord-américaine devait passer par différents auteurs. Il disait à sa manière que tout en faisant partie de ces sociétés-là, la nôtre en différait également. Les œuvres de Marcel Dubé étaient notre miroir à nous. Elles se distinguaient sur plusieurs plans. La révolte du simple soldat Joseph Latour est typique de ce que nous sommes. C'est celle d'un petit Québécois qui refuse d'être dompté, comme un jeune cheval qui s'entête à vivre à l'état sauvage. C'est celle du Québécois qui dit : non, moi je ne marcherai pas là-dedans.

Propos de MICHEL DUMONT,
recueillis par RAYMOND BERNATCHEZ,
La Presse, 4 avril 1998.

TABLE

TYPO
TITRES PARUS

Aquin, Hubert
  Blocs erratiques (E)
Archambault, Gilles
  Le voyageur distrait (R)
Asselin, Olivar
  Liberté de pensée (E)
Baillie, Robert
  La couvade (R)
  Des filles de beauté (R)
Barcelo, François
  *Agénor, Agénor, Agénor
    et Agénor* (R)
Basile, Jean
  Le grand khān (R)
  La jument des Mongols (R)
  Les voyages d'Irkoutsk (R)
Beaulieu, Victor-Lévy
  *Don Quichotte
    de la démanche* (R)
  Les grands-pères (R)
  Jack Kérouac (E)
  Jos Connaissant (R)
  Race de monde (R)
Benoit, Jacques
  Gisèle et le serpent (R)
  Les princes (R)
Bergeron, Léandre
  *Dictionnaire de la langue
    québécoise* (D)
Bersianik, Louky
  Le pique-nique sur l'Acropole (R)
Bertrand, Claudine
  Rouge assoiffée (P)
Bonenfant, Réjean
  Un amour de papier (R)
Bonenfant, Réjean et Jacob, Louis
  Les trains d'exils (R)
Borduas, Paul-Émile
  Refus global et autres écrits (E)
Bouchard, Louise
  Les images (R)

Bouchard, Roxanne
  Whisky et paraboles (R)
Boucher, Denise
  Les fées ont soif (T)
Boucher, Denise
et Gagnon, Madeleine
  Retailles. Essai-fiction (E)
Bourassa, André-G.
  *Surréalisme et littérature
    québécoise* (E)
Brossard, Nicole
  *L'amèr ou le chapitre effrité.
    Théorie-fiction* (E)
  *Baiser vertige. Prose et poésie
    gaies et lesbiennes au
    Québec* (A)
  Le désert mauve (R)
  D'aube et de civilisation (P)
  Picture Theory. Théorie-fiction (E)
Brouillet, Chrystine
  Chère voisine (R)
Brunet, Berthelot
  Les hypocrites (R)
  Le mariage blanc d'Armandine (C)
Caron, Pierre
  La vraie vie de Tina Louise (R)
Chamberland, Paul
  En nouvelle barbarie (E)
  *Terre Québec suivi de L'afficheur
    hurle, de L'inavouable
    et d'autres poèmes* (P)
Champlain, Samuel de
  Des Sauvages (E)
Choquette, Gilbert
  La mort au verger (R)
Collectif
  La nef des sorcières (T)
  Nouvelles de Montréal (N)
Conan, Laure
  Angéline de Montbrun (R)

(A) : anthologie ; (C) : contes ; (D) : dictionnaire ; (E) : essai ; (N) : nouvelles ;
(P) : poésie ; (R) : roman ; (T) : théâtre

Cet ouvrage composé en Sabon corps 10 a été achevé d'imprimer au Québec
le vingt-six juillet deux mille onze sur papier Enviro 100 % recyclé
sur les presses de Imprimerie Lebonfon Inc.
pour le compte des Éditions Typo.